THE NEW THREE GORGES ON THE YANGTZE RIVER

Neue Drei Schluchten des Yangtse-Flußes

湖北美术出版社

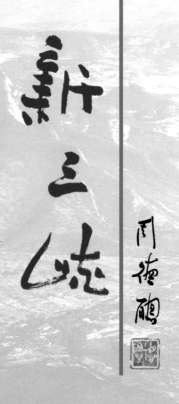

新三峡

周德聰

The New Three Gorges on the Yangtze River

Neue Drei Schluchten des Yangtse-Flußes

目　録

Contents
Inhaltverzeichnis

PREFACE

With its headstream 5400m above sea level, the Yangtze River originates from the main peak of Tangula Mountain on the Qinghai-Tibet Plateau, the ridge of the world, and meanders from west to east, cuts through deep valleys, hilly lands and vast plains and finally flows into the Pacific Ocean at Shanghai, the most dynamic city in China. With a drainage area of 1,800,000km2, the Yangtze River is over 6,300km in full length and cuts through 11 provinces and autonomous regions in China.

The Yangtze River crosses the east of Sichuan Basin, cuts through high mountains and lofty hills around the boundary between Chongqing and Hubei and thus forms the Three Gorges, a breathtaking canyon surrounded by steep mountains.

For thousands of years, the Yangtze River has fertilized the land on both banks with her torrential water and fostered flourishing civilization in China. On the other hand, it has brought about ruinous disasters with her uncurbed flood to people on both banks and particularly, to millions of people along the middle and lower reaches of the river. Yangtze flood has become a mortal malady for China and an obstacle hindering China's drive to grand renaissance.

In 1992, NPC (National People Congress) adopted through voting the proposal of the Three Gorges Project. The torrential Yangtze River that used to flow directly into the East China Sea now stops its footstep at the gorgeous Three Gorges. Through 10 years' efforts, the Three Gorges Dam has soared up, embodying a great Chinese mythology and epic. From primitive times and Dayu's water control measures to Wushan Goddess' ardent gaze; from Sun Yat-sen's "Strategy to Prosper China" and Mao Zedong's immortal poems; from Deng Xiaoping's "It's good and let's do it" to the rising of the Three Gorges Dam, how to harness the Yangtze River has always been in the minds of the Chinese people. The bygone steep, lofty, attractive mountains have become islands in the New Three Gorges, and now the grand vision of a mirror-like lake stands out to the world.

The Three Gorges Project embodies the lofty aspirations of the Chinese people and represents the venturing creativeness of the hydropower professionals. The incessant efforts of almost 10,000 scientists and engineers in planning, design and demonstration in the past 7 decades have given birth to the New Three Gorges. From now on, the Three Gorges will benefit the people: The once-in-100-year flood has been harnessed; the life and property of tens of millions of people along the middle and lower reaches of the river can be protected; the dam can generate 84.7 billion KWH power per year to light up over half of China; navigation has farewelled the boat-tracker era and steam-engine era, and entered a mirror-lake navigation era; millions of Three Gorges residents have changed their life and the days of "slash-and-burn" farming are gone forever.

Why should I often have tears in my eyes?

Because I love this land so much.

The Three Gorges Project bears many expectations for the Chinese people. From the viewpoint of 100 years, many misgivings do not exhibit for the Three Gorges Project. However, from the viewpoint of 1000 years, an incessant misgiving in the minds of the Chinese people is "Is the Three Gorges Project safe?"

Is the Dam qualified in quality?

Can the Three Gorges Dam fully eliminate floods for the middle and lower reaches of the Yangtze River after completion?

Will the Three Gorges Reservoir become a dead reservoir after 100 years?

How far is war from the Three Gorges Dam?

Can water retention in the reservoir trigger earthquakes?

Have the million residents been well resettled?

What will the New Three Gorges look like?

This is a general concern for the Chinese people, from top decision makers to ordinary people. This book will lead you into the Three Gorges and enable you to experience its grandeur and its attractive scenery.

序

長江，源于世界屋脊青藏高原的唐古拉山主峰，源頭海拔高程5400米，自西蜿蜒東流，穿越深山峽穀、山地丘陵和廣袤的平原，全長6300余公裏，流域面積達180萬平方公裏，途經中國十一個省市、自治區，在中國最具活力的上海匯入太平洋。

長江流經四川盆地東緣，渝鄂交界時，衝開崇山峻嶺，奪路奔流形成了水險山雄、濤飛浪卷，令人馳魂奪魄的大峽穀——長江三峽。

千百年來，長江不僅用她滔滔江水滋潤着兩岸肥沃的土地，孕育了生機勃勃的華夏文明，長江更有她恣肆無忌的洪水給兩岸人民，特別是長江中下游的幾千萬人民帶來的毀滅性災難。長江洪災成爲中華民族的心腹之患，成爲中華民族走向偉大復興的絆腳石。

1992年，全國人民代表大會表決通過了興建三峽工程的議案。從雪山走來，向東海奔去，自古奔涌浩蕩的長江水從此在最賦激情的三峽停了停脚步。短短十年，一個偉大民族神話與史詩的具象——三峽大壩巍然聳立起來。從盤古開天地、大禹治水到巫山神女的殷切目光；從孫中山《建國方略》到毛澤東的不朽詩篇；從鄧小平"看准了就上，不要猶豫"到巍巍聳立的大壩，彈指一揮間，昔日雄奇險峻，幽深峭麗的三峽中，島嶼與湖泊結伴而來，高峽平湖的壯景展現在世人面前。

三峽正演繹着中華民族天南地北的豪情壯志，凝聚着水電精英們戰天鬥地的創造力。近萬名科技工作者孜孜不倦的探索，70余年的規劃，設計和論證，一江春水，從此造福于人民：百年一遇的洪水低頭馴服了；長江中下游幾千萬人的生命財産有了保障；每年847億千瓦時的發電量，照亮着大半個中國；長江航運由纖夫時代、輪機時代跨入了平湖時代，蜀道不再難；百萬三峽移民從此改變了他們的生活，刀耕火種的方式一去不返。

爲什麼我的眼裏常常含滿泪水
因爲我對這土地愛得深沉

三峽工程承載了一个民族太多的希望。如果站在百年的高度審視三峽工程，很多疑問是不存在的；如果站在千年的高度審視三峽工程，"三峽工程安全嗎？"這一疑問時時刻刻縈绕在中國人民的心頭。

大壩質量合格嗎？
三峽大壩建成后能徹底解除長江中下游的洪災嗎？
百年后三峽水庫會否成爲死庫？
戰争離三峽大壩有多遠？
水庫蓄水后會促發地震嗎？
百萬移民安居樂業否？
新三峽風采如何？

從中國最高決策者到普通老百姓無不對此深表關注。本書將以精美的圖片，優雅的文字，權威、翔實的資料帶你走進三峽，領略三峽大壩的雄偉氣勢，飽覽長江三峽的秀美風光。

VORWORT

Mit dessen Ursprung in Höhevon 5400m über dem Meeresspiegel entspringt der Yangtse-Fluß aus dem Hauptgipfel des Tanggula-Berges von Qinghai-Tibet Hochebene, die das Dach der Welt ist. Er schlängelt sich von Westen nach Osten, fließt durch tiefe Täler, hügeliges Land und riesige Ebene, endlich strömt er in den pazifischen Ozean bei Schaihai, die dynamischste Stadt in China. Mit einer Fläche des Flußeinzugsgebiets von 1,800,000km2 und einer gesamten Länge von 6, 300km windet sich der Yangtse-Fluß durch 11 Provinzen, Städten und autonome Gebieten in China.

Der Yangtse-Fluß kreuzt den östlichen Rand des Sichuan-Becken, windet sich durch die hohen Bergen und erhabenen Hügel entlang der Grenze zwischen Chongqing und Hubei, wodurch wurden die atemraubenden Drei Schluchten um die steilen Bergen herum gebildet.

Seit tausenden Jahren befruchtet der Yangtse-Fluß mit dem schlagendem Wasser den Boden an beiden Ufern und n?hrt die blühende Zivilisation in China. Aber in anderer Steit hat der Yangtse-Fluß die Bevölkerung an beiden Ufern in die Überschwemmung gesetzt, besonders hat er der Bevölkerung auf dem Gebiet am Mittel-und Unterlauf des Flußes die zerstörende Katastrophe gebracht. Das Yangtse-Hochwasser war das Unheil für China und das Hindernis auf dem Weg zu der großen Wiedererstehung Chinas geworden.

Im Jahre 1992 hat der Nationale Volkskongreß Chinas durch Stimmgabe den Vorschlag zum Bau des Drei-Schluchten-Projektes zugestimmt. Seither hat er Yangtse-Fluß, der aus dem Schneeberg zum Ostchinesischen Meer wälzt, bei den prächtigen Drei Schluchten seinen Schritt gehalten. Durch 10 j?hrige Strengungen wurde der Drei-Schluchten-Damm emporgebracht, der die Verkörperung von Mythologie und Epos ist. Von der Urzeit und Dayu's Wasserregulierung zu dem feurigen Starren der Wushan-GUottin,von den Sun Yat-sen's Werk°∞Strategie für Gedeihen des Chinas°± und Mao Zedong's unsterblichen Gedichten, von Deng Xiaoping's Wort Was gut ist, tue das °∞zu dem emporragenden Drei-Schluchten-Damm, herrscht die Frage immer im Gedanken der Chinesen: wie man den Yangtse-Fluß nützlich machen kann? Die steile, erhabene und attraktive Bergen in Vergangenheit sind heute die Insel in den Drei Schluchten geworden, und jetzt steht eine Vision von Spielgel-See vor der Welt.

Das Drei-Schluchten-Projekt verkörpert die Bestrebungen der Chinesen und stellt das Wagnis zur Schöpfung der Fachleuten auf dem Fachgebiet von Wasserbau und und Stromerzeugung dar. Durch die unaufhörliche Forschung von ca. 10,000 Wissenschaftlern und Ingenieurn in den Bereichen der Planung, Konstruktion und Demonstration in fast 7 Jahrzehnten wurde die Neu Drei Schluchten zur Welt gebracht. Von jetzt an wird die Drei Schluchten dem Volk nützten: Das Hochwasser, wie es seit hundert Jahren einmal dagewesen ist, wurde nützlich gemacht; das Leben und Sachwerten von mehren zhen Millionen auf dem Gebiet am Mittel- und Oberlauf des Flußes können geschützt werden; Der Damm kann jährlich den Strom von 84.7 Mrd. KWH für Beleuchtung einer großen Häßlfte von China erzeugen; Die Schiffahrt hat sich von der Boot-Treidler-Zeit und der Turbine-Zeit verabschiedet und tritt in eine Spiegel-See-Schiffahrt-Zeit ein; Durch die Umsiedlung haben mehre Millionen Eihnwohner ihr Leben ge?ndert und der Tag von Brandkultur ist immer vorbei.

Warum sind meine Augen voll von Tränen
Weil ich dieses Land so liebe

Das Drei-Schluchten-Projekt verkörpert viele Hoffnungen der Chinesen. Aus einem Standpunkt von 100 Jahen besteht keine Befürchtung bei dem Drei-Schluchten-Projekt, aber aus einem Standpunkt von 1000 Jahren herrscht immer die Befürchtung im Gedanken der Chinesen: " Ist das Drei Projekt sicher?

Ist der Drei-Schluchten-Damm in Qualität qualifiziert?

Kann der Drei-Schluchten-Damm nach der Fertigstellung das Hochwasser von Mittel- und Oberlauf des Yangts-Flusses ganz beseitigen?

Kann das Drei-Schluchten-Reservoir nach 100 Jahren nicht das Totreservoir werden?

Wie weit ist der Krieg von Drei-Schluchten-Damm?

Kann die Wasserspeicherung in Reservoir die Erdbeben auslösen?

haben sich die Millionen Umsiedler wohl niedergelassen?

Was werden die Neuen Drei Schluchten zeigen?

Diese sind die gesamte Sorge der Chinesen von höchster entscheidenden Stasstsführung bis die allgemeinen Bürgern. Dieses Buch wird Sie in die Drei Schluchten leiten und ermöglicht Ihnen, deren Erhabenheit und attraktive Szene zu bewundern.

長江之水天上來
Water in Yangtze Originating from the Heaven
Vom Himmel kommt das Changjiang -Wasser

高峡出
Mirror Lake in High
Der Flachsee in Schlu

水调歌头·游泳

才饮长沙水，又食武昌鱼。万里长江横渡，极目楚天舒。不管风吹浪打，胜似闲庭信步，今日得宽馀。子在川上曰：逝者如斯夫！

风樯动，龟蛇静，起宏图。一桥飞架南北，天堑变通途。更立西江石壁，截断巫山云雨，高峡出平湖。神女应无恙，当惊世界殊。

毛泽东
一九五六年
十月

THREE GORGES DAM, TRULY GORGEOUS

三峽大壩 嘆爲觀止　Prachtiger Drei-Schluchten-Damm

三峽水利樞紐工程主要由攔河大壩、泄洪壩、水電站、雙綫五級連續船閘和升船機等主要建築物組成。大壩爲混凝土重力壩，大壩全長 2309 米，壩頂高程 185 米，水電站分設左、右兩組廠房，分別安裝 14 臺和 12 臺單機容量爲 70 萬千瓦的水輪發電機組，在右岸山體内還留有爲后期擴機 6 臺機組的地下廠房位置。工程總工期爲 17 年，預計工程動態總投資可控制在 1800 億元人民幣以内，低于預算 2039 億元人民幣。

The Three Gorges Water Control Project mainly consists of the main dam, overflow dam, two hydropower stations and two navigation structures. As a concrete gravity dam, the dam is 2309m at top in full length and 185m in height. The hydropower station consists of two facilities on the right and left, which respectively consist of 14 and 12 hydroelectric generating sets. In addition, space is reserved for underground facilities of 6 generator sets for later extension, with 700MW for single generator capacity. The entire construction period of the project is 17 years and its overall dynamic investment can be kept within RMB 180 billion, well below the initially estimated investment of RMB 203.9 billion.

Das Drei-Schluchten-Wasserbauprojekt besteht hauptsächlich aus Staudamm, Abflußdamm, zwei Wasserkraftwerken und zwei fünfstugigen Schiffsschleusen. Als ein betonierter Schwerkraft-Damm hat dieser Damm vom Kopf eine gesamte Länge von 2309m und eine Höhe von 185m. Das Wasserkraftwerk besteht aus zwei Fabrikgebäuden von links und rechts, wo getrennt 14 und 12 Wasserturbinengeneratorsätze angeordnet wurden. Unter dem Berg am rechten Ufer hat man zusätzlich einen Platz für Untergrundfabriken zur späteren Erweiterung reserviert, wo 6 Wasserturbinengeneratorsätze mit einer Kapazität der Einzelturbine von 0.7Mill.kW angeordnet werden. Der Generalbautermin dieses Projektes ist für 17 Jahre geplant und die gesamte Investition für dieses Projekt kann sch?tzungsweise auf 180 Mrd. RMB eingeschränkt werden, und dies ist weniger als Budget von 203.9 Mrd. RMB.

萬馬奔騰
Surging onward like Ten Thousand Horses Galloping
Fluß wogt vorwärts wie die zehntausenden Pferde galoppieren

世界八大水電站比較圖 Comparison of the World's 8 Greatest Hydropower Stations Vergleich von 8 großten Wasserkraftwerken der Welt				
國家 Country Staat	水電站名稱 Name of Hydropower Stations Bezeichnung des Wasserkraftwerkes	河流 River Fluß	裝機總容量（萬千瓦） Total installed capacity (10MW) Installierte Kapazität (0.1Mill.kW)	年發電量（億千瓦時） Power generation/year (100mil KWH) Jährliche erzeug Elektrizität£(0.1mMrd.kWh)
中國 China China	三峽 Three Gorges Drei Schluchten	長江 Yangtze River Yangtse-Fluß	1820	846.8
巴西、巴拉圭 Brazil and Paraguay Brasilien und Paraguay	伊泰普 Itaip Itaipe	巴拉那河 Parana River Balana-Fluß	1260	710
美國 USA USA	大古力 Grand Coulee Großer Coulee	哥倫比亞河 Columbia River Kolumbien-Fluß	1083	（初期） 203 (Initial) (Am Anfang)
委内瑞拉 Venezuela Wenezuela	古裏 Guri Guli	卡羅尼河 Caroni River Kalonie-Fluß	1030	510
巴西 Brazil Brasilian	圖庫魯伊 Tucurui Tukuluyi	托坎廷斯河 Tocantins River Tokantins-Fluß	800	（初期） 324 (Initial) (Am Anfang)
加拿大 Canada Kanada	拉格蘭德二級 La Grande Stage II La Grande Stage II	拉格蘭德河 LaGrande River La Grand-Fluß	732.6	358
俄羅斯 Russia Rußland	薩揚舒申斯克 Sayano-Shushensk Sayangshushensik	葉尼塞河 Yenesei River Yenisey-Fluß	640	237
俄羅斯 Russia Roßland	克拉斯諾雅爾斯克 Krasnoyarsk Klasnuoyarsk	葉尼塞河 Yenesei River Yenisey-Fluß	600	204

更立西江石壁
Sets a Wall on the River
Eine Wand am Fluß

截断巫山雲雨
Cuts through Wushan
windet durch Wushan

9

當今世界殊
A Wonder in Modern World
Ein Wunder in moderner Welt

　　三峽船閘被譽爲長江"第四峽穀"，是在整塊花崗岩山體中開挖出來的，最大開挖深度爲170米。雙线五級連續船閘相臨兩級間最大水頭落差爲45.2米，上下游通航最大水頭落差爲113米。單扇人字閘門重達850噸，面積接近2個藍球場大，啓或閉一次約需4分鐘。每級閘室長280米，寬34米，衝水或泄水一次需要12分鐘。不論其規模還是技術難度，三峽船閘均爲世界之最。

　　Known as the "Fourth Gorge" on the Yangtze River, the ship lock is dug through integral granite massif with maximum excavation depth of 170m. The maximum head fall between two stages of the Two-route Five-stage Continuous Ship Lock is 45.2m and the maximum water-flow fall for navigation between the upper and lower reaches is 113m. A single miter gate weighs 850T and is about two basketball courts in area, and it takes about 4 minutes to open or close. Each stage of the lock chamber is 280m long and 34m wide and it takes 12 minutes to fill or drain. Three Gorges Ship Lock is the largest in the world whether in scale or technical difficulty.

　　Die als "Vierte Schlucht" des Yangtz-Flußes gelobte Schiffsschleuse wurde aus einem massiven Integralgranit ausgegraben, die max. Grabtiefe ist 175m. Die max. Falltiefe zwischen den zwei Stufen ist 45.2m, und die max. Wassergefälle für Schiffahrt zwischen dem Oberlauf und Unterlauf ist 113m. Das einflügelige Tor der Schleuse wiegt 850t und hat eine Fläche wie die Gesamtfl?che von fast zwei Korbballplätzen. Es braucht 4 Minuten, um die Schleuse einmal zu ? ffnen oder zu schließen. Jede Stufe der Schleuse ist 280m lang und 34 breit. Für jedes Füllen oder Ablassen des Wassers braucht es 12 Minuten. Die Drei-Schluchten-Schiffsschleuse belegt hinsichtlich nicht nur der Größe als auch des technischen Schwierigkeitsgrades den ersten Platz in der Welt..

雙綫五級船閘
Two-route Five Stage Ship Lock
schleuse mit Doppelweg in fünf Stufen

三峡大壩 嘆爲觀止

　　三峽電站共裝有 26 臺發電機組，總裝機容量 1820 萬千瓦，年發電量 847 億千瓦時，居世界第一位。

　　The Three Gorges Hydropower Station comprises 26 generating sets with 18200MW in total installed capacity and 84.7 billion KWH/year in power generating, thus becoming the largest hydropower station in the world.

　　Das Drei-Schluchten-Wasserkraftwerk verfügt über 26 Generatorsätze mit der gesamten installierten Kapazität von 18200MW und belegt mit dem jährlich erzeugten Strom von 84.7 Mrd.kWh den ersten Platz in der Welt.

電站施工現場
Construction Site of the Hydropower Station
Baustelle des Kraftwerkes

14

三峡不夜天
Brightly-lit Three Gorges at Night
Helle Licht, Drei Schluchten in Nacht

三峽大壩 嘆爲觀止

1992年，全國人民代表大會表決通過了興建三峽工程的議案，三峽工程建設的序幕從此拉開。

1993年到1997年，幾萬名三峽建設者肩負國人的重托，開山劈嶺，短短五年，三峽工程專用高速公路通車，混凝土縱向圍堰建成，導流明渠開挖成功，雙綫五級船閘初具規模。以1997年長江主河床截流爲標志，一期施工任務勝利完成。

1997年到2003年，三峽工程進入二期施工階段。6年時間，左岸1700米長，高185米的大壩聳立在江中；135米以下移民任務按時完成；135米的蓄水如期達到；三峽船閘試航成功。高峽出平湖壯景初現，截至2004年8月底止，先後有10臺機組建成投産，以導流明渠截流爲標志，二期施工任務完成。

2003年到2009年是三峽工程第三期施工階段，也是三峽工程施工與發電并行階段，每年將有四臺機組投産發電，相當于每年建成一個葛洲壩電廠。這一時期，總長665米的右岸大壩將達到185米的高程，包括右岸12臺機組在内的全部26臺機組將建成投産。國人夢，盛世園。展望2009年，隨着中華民族走向偉大復興的標志性工程的最終建成，中華民族必將迎來更加燦爛的明天。

In 1992, NPC adopted through voting the proposal of the Three Gorges Project and thus began its construction.

From 1993 to 1997, hundreds of thousands of Three Gorges constructors undertook the project by cutting through mountains and ridges. Within 5 years, the expressway for the Three Gorges Project was completed and open to traffic; the vertical concrete cofferdam was completed; the open diversion canal was successfully excavated; and the Two-route Five-stage Ship Lock had initially taken shape. The main riverbed of the Yangtze River was cut off in 1997, indicating the successful completion of the Phase I construction works.

The period from 1997 to 2003 represents the Phase II construction period for the Three Gorges Project. Within these 6 years, the 1700m-long and 185m-high dam sprang up on the left bank of the river; resident resettlement below 135m was completed; Three Gorges ship lock was open to navigation; 135m water-retention was achieved as scheduled. The scenery of mirror-lake in deep valleys had initially taken shape. By late December 2003, 6 generating sets had been put into operation. The cut-off of the open diversion canal marked the completion of the Phase II construction works.

The period from 2003 to 2009 represents the Phase III construction period and also the period of concurrent construction and power generation for the project. Then, 4 generating sets will be put into operation each year, the same as one Gezhou Dam hydropower station was constructed each year. During this period, the 665m-length on the right bank will reach 185m in elevation and 12 generating sets on the right bank will be commissioned. With the final completion of the hallmark project

marking China's grand renaissance in 2009, China will have a more brilliant future.

Im Jahre 1992 hat der Nationale Volkskongreß Chinas durch Stimmgabe den Vorschlag zum Bau des Drei-Schluchten-Projekts angenommen. So wurde das Vorspiel zu dem Bau des Drei-Schluchten-Projekts begonnen.

Von 1993 bis 1997 nahmen mehre zehntausenden Bauarbeiter an dem Bau des Projekts teil.Sie stachen im Vertrauen des Volks die Berge und Hügel durch. Durch 5 jahrige Anstrengung wurde die Autobahn für Drei-Schluchten-Projekt fertig gebaut und in Betrieb genommen, derLängsbetonkastendamm erstellt, der offene Umleitungskanal erfolgreich ausgegraben, und die fünfstufige Zwei-Weg-Schiffsschleuse hat seinen Anfangsform. Das Hauptflußbett des Yangtse-Flußes wurde im Jahr 1997 abgeschnitten. Dies zeigt, daß die Bauarbeit von Phase I erfolgreich erfüllt.

Die Periode von 1997 bis 2003 vertritt die Phase II der Bauarbeit für das Drei-Schluchten-Projekt. In diesen 6 Jahren wurde ein Damm mit einer Länge von 1700m und einer H?he von 185m am linken Ufer des Flu?es emporgebracht; die Umsiedung der Einwohner im Gegend unter 135m durchgef®πrt; die Drei-Schluchten-Schleuse für Schiffahrt geöffnet, und Wasserspeicherung bis 135m rechtzeitig erfolgt. Die Landschaft vom Spiegel-See in tiefen Täler tritt mit seiner Anfangsform auf. Bis Ende Dezembers 2003 wurden 6 Generatorsätze in Betrieb genommen. Die Eindämmung des offenen Umleitungskanals kennzeichnet die Vollendung der Bauarbeit von Phase II.

Die Periode von 2003 bis 2009 vertritt die Phase III der Bauarbeit und gleichzeitig ist sie die Periode der Stromerzeugung von dem Projekt. Jährlich werden 4 Generatorsätze in Betrieb genommt, das gleicht, daß in jedem Jahr ein Gezhou-Damm-Kraftwerk errichtet wurde. In dieser Periode wird ein Damm von 665m lang und 185m hoch an dem rechten Ufer gebaut, und werden 12 Generators?tze am rechten Ufer aufgerichtet. Mit der endgültigen Volledung des Projekts in 2009, das die große Wiedererstehung Chinas symbolisiert, wird China eine glänzende Zukunft haben.

三峽之光
Light of Three Gorges
Licht von Drei Schluchten

1997年11月，長江主河床成功截流，標志着三峡工程進入關鍵的二期施工階段。

In November 1997, the main riverbed of the Yangtze River was successfully cut off, marking the beginning of the critical Phase II construction period for the Three Gorges Project.

Im November 1997 wurde das Hauptflußbett des Yangtse-Flußes erfolgreich abgeschnitten. Dies kennzeichnet den Beginn der Bauarbeit von entscheidender Phase II für Drei-Schluchten-Projekt.

截流現場 ■ Cut-off Site ■ Ort von Flußeindämmung

圍堰形成 ■ Cofferdam Formation ■ Formung des Kastendamms

龍口
Narrowed River Mouth
Verengte Fluß-Mund

行洪
Flood Discharging
Hochwasser umleiten

通航中的導流明渠
Open Diversion Canal in Navigation
Offener Umleitungskanal im Schiffsverkehr

導流明渠截流
Cut-off of Open Diversion Canal
Eindämmung des offenen Umleitungskanals

導流明渠長 3700 米，寬 350 米，1993 年 5 月開始施工，1997 年 5 月 1 日建成，1997 年 10 月 6 日正式通航。在三峽工程二期施工階段，它承擔了長江行洪和通航的任務。2002 年 11 月 6 日，導流明渠成功截流，在其基礎上修建右岸電站。三峽工程順利地進入第三期施工階段。

The 3700m-long and 350m-wide open diversion canal was started in May 1993, completed on May 1, 1997 and officially opened to navigation on October 6. The hydropower station on the right bank was constructed on this basis and thus the Three Gorges Project successfully entered its Phase III construction period.

Der offene Umleitungskanal ist 3700m lang und 350m breit. Er wurde in Mai 1993 begonnenund am 1. Mai 1997 erstellt, und am 6. Oktober 1997 wurde er für Schiffahrt offiziell geöffnet. Im November 2002 wurde der offene Umleitungskanal erfolgreich abgeschnitten, und auf dessen Basis wurde ein Kraftwerk am rechten Ufer gebaut. So tritt die Bauarbeit f®πr Drei-Schluchten-Projekt in die Phsase III ein.

三峡大壩 嘆爲觀止

三期工程施工現場
Construction Site for Phase III Project
Baustelle in Phase III

三期工程施工全景
Panorama View of Phase III Construction
Gesamtbild der Phase III in Ausführung

右岸電站施工現場
Construction Site for the
Hydropower Station on the
Right Bank
Baustelle des Kraftwerkes
am rechten Ufer

25

棧橋
Loading Bridge
Ladungsbrücke

　　三峽總公司和參與三峽工程建設的每一支隊伍，本着對歷史負責的態度，探索出了一套行之有效的質量管理體系，由中國水電專家組成的國務院三峽工程質量檢查組，每年兩次親臨三峽工程施工現場檢查，確保了三峽工程質量的安全與可靠。

　　混凝土是構成三峽大壩的主要成份，三峽大壩混凝土澆築總量達到2700多萬立方米，遠遠高于長期占據世界第一位置的巴西伊泰普水電站的混凝土澆築總量。三峽工程曾經連續幾年年混凝土澆築總量超過400萬立方米，如此高強度、大方量的混凝土澆築，它的質量能否保證是整個三峽工程施工的難點之一。

Charged with historic responsibilities, Three Gorges Corporation and each team participating in the construction of the Three Gorges Project has developed a full set of effective quality control system. The SC (State Council) Three Gorges Project Quality Check Group composed of China's prestigious hydropower experts conducts two onsite inspections on the project every year to ensure the safety, reliability and quality of the Three Gorges Project.

Concrete constitutes a major part of the Three Gorges Dam and the overall concrete pouring of the dam amounts to more than 27 million m3, far exceeding that for the world's No.1 hydropower station, namely, Itaip Hydropower Station in Brazil. For several consecutive years, the overall concrete pouring of the dam exceeds 4 million m3. For such high-strength and large-volume concrete pouring, its quality is one of the key points to ensure the smooth construction of the entire Three Gorges Project.

Im Geist der Verantwortung für die Historie hat die Gesellschaft von Drei Schluchten und jede Truppe, die an der Bauarbeit für das Drei-Schluchten-Projekt teilnehmen, ein effektives Qualit?tskontrollsystem entwickelt. Die aus den chinesischen Spezialisten für Wasserbau und Elektrizität bestehende Qualitätsprüfungsgruppe für Drei-Schluchten-Projekt vom Staatsrat kamm jährlich zweimal auf die Baustelle zur Prüfung der Sicherheit, Zuverlässigkeit der Qualität von Drei-Schluchten-Projekt.

Die Betonkonstitution ist ein Hauptbestandteil des Drei-Schluchten-Dammes. Die gesamte Betonierung für Drei-Schluchten-Damm erreicht 27 Mill. m3, dies ist viel mehr als die gesamte Betonierung für Kraftwerk Nr.1 der Welt nahmens Itaipe Wasserkraftwerk in Brasilien. Beim Drei-Schluchten-Projekt hat die gesamte Betonierung in mehren aufeinanderfolgenden Jahren 4 Mill.m3 überschritten. Bei der Betonierung von solcher Hoch-Festigkeit und solchem Groß-Volumen ist deren Qualität ein Schlüßelpunkt für die Siecherung der reibungslosen Durchführung der Bauarbeit für das ganze Drei-Schluchten-Projekt.

在世界水電工程施工過程中，保證大方量、高强度的混凝土的澆築質量是一大難題。三峽工程運用先進的澆築設備，合理的澆築流程，科學的檢測手段成功的解决了這一難題。

For hydropower construction in the world, it is a headache to ensure large-volume high-strength concrete pouring. Three Gorges Project adopts state-of-the-art pouring equipment, optimal pouring process and scientific test approaches and thus successfully solved this problem.

Bei jedem Bau eines Wasserbauprojekts in der Welt hat man es nicht leicht, die Qualität der Betonierung von solcher Hoch-Festigkeit und solchem Groä-Volumen gewährzuleisten. Aber das Problem lässt sich bei dem Drei-Schluchten-Projekt erfolgreich lösen, indem man moderne Betonierungsanlagen, rationellen Bauablauf und zuverlässige Qualitätsprüfungsmethoden anwendet.

混凝土入倉温度檢測
Temperature Control
Temperature Control

鋼筋鐵骨
Steel Bulwark
Stahlbollwerk

建設中的船閘地下輸水系統
Underground Water Transmission System for Ship Lock under Construction
Wasserleitungssystem für Schiffsschleuse unter Erde im Bau

開山劈嶺建船閘
Cutting through Mountains and Ridges to Construct Ship Lock
Zum Aufbau der Schleuse den Berg durchstechen
Durchstechung von Berg und Hügel für die Schiffsschleuse

　攻克三峽船閘高邊坡穩定難題，標志着在技術上中國走在了世界的前列。

Successful solution to the bottlenecks in high-slope anchoring for the construction of The Three Gorges Ship Lock indicates that China has become a technical leader in the world.

Die erfolgreiche Lösung des Problems von Ankern auf dem Hoch-Abhang für die Drei-Schluchten-Schiffsschleuse kennzeichnet, daß China ein technischen Führer in der Welt geworden ist.

高邊坡錨固
High-slope Anchoring
Ankern am hohen Rand des Bergabhangs

鳥瞰大壩
Bird's-Eye View of the Dam
Damm aus Vogelperspektive

三峡大壩 嘆爲觀止

在壩子嶺上可俯瞰三峽五級船閘全貌；在185
平臺可盡情感受大壩的雄姿；在平湖觀景臺可一
覽高峽平湖的美景。

The Tanzi Ridge can provide a bird's-eye view of

the Five-stage Ship Lock. Platform 185 can provide an
exciting experience of the dam. The View Tower can provide a panorama of the mirror-like lake.

Auf dem Tanzi-Hügel kann man aus der

Vogelperspektive die fünfstufige Drei-Schluchten-
Schleusesehen, auf der Plattform 185 die Stattlichkeit vom
Damm bewundern und auf dem Aussichtsturm kann man
die schöne Landschaft von dem Spiegel-See genießen.

大壩全景
Panorama of the Dam
Gasamtbild vom Damm

壇子嶺 ■ Tanzi Ridge ■ Tanzi-Hügel

185平臺 ■ Platform 185 ■ Plattform 185

平湖觀景臺 ■ View Tower ■ Aussichtplattform

FLOOD CONTROL

防 洪　Hochwasserschutz

長江中下游是中國洪災最嚴重的地區之一，洪水主要來自宜昌以上的長江上游。三峽工程的首要功能就是防洪，興建三峽工程的直接動因也是防洪。三峽大壩位于長江中游與上游交界處，能有效控制長江上游暴雨形成的洪水，三峽大壩對長江中下游平原，特別是荊江地區的防洪具有決定性作用。三峽水庫從壩前到庫尾全長600多公裏，蓄水到175米后，整個庫容量達到393億立方米，防洪庫容量221.5億立方米。三峽大壩的設防標准是能抵禦萬年一遇的大洪水，長江中下游的防洪標准也從十年一遇提高到百年一遇。但三峽工程的興建并不能一勞永逸地徹底解決長江洪災，必須配合長江中下游防洪大堤的整治加固和蓄洪工程的建設。三駕馬車并駕齊驅可以徹底解決長江的洪澇災害。1998年長江全流域發生大洪水，直接經濟損失相當于三峽工程的全部投資。三峽大壩建成后，如果再遇到1998年這樣的洪水，只需啓動三峽工程的防洪系統就可以輕松化解。對于長江中下游懸河之下的1500萬人民，三峽工程無疑是他們安居樂業的有力屏障。

The vast area along the middle and lower reaches of the Yangtze River is one of the areas most seriously stricken by flood, which mainly comes from the upper reaches of the river upstream of Yichang. Located at the boundary between the upper and middle reaches, the Three Gorges Dam can effectively control the flood resulting from rainstorm on the upper reaches of the river and play an important role in flood control for the plains along the middle and lower reaches and Jingzhou region in particular. Flood control is the primary function of the Three Gorges Project and direct momentum of constructing the Three Gorges Project. With a flood control capacity of 22.15 billion m3, the Three Gorges Reservoir is over 600km long from head to tail. When reaching 175m in water storage height, its overall capacity can hit 39.3 billion m3. The protection target of the Three Gorges Dam is to resist once-in-10000-year disastrous flood and the protection target of the middle and lower reaches is adjusted to resist once-in-100-year flood from once-in-10-year previously. However, the construction of the Three Gorges Project cannot permanently eliminate floods of the Yangtze River. To thoroughly eliminate such floods, it is necessary to reinforce the flood dams and construct flood storage projects along the middle and lower reaches of the Yangtze River. That is, flood disasters can be thoroughly eliminated by running three carriages simultaneously. Serious flood occurred to the entire Yangtze River valley in 1998 and direct economic loss thus caused is equal to the total investment of the Three Gorges Project. After the completion of the Three Gorges Dam, if such flood as in 1998 recurred, it could be easily overcome by starting the flood control system. For the 15 million residents along the middle and lower reaches of the river, the Three Gorges Project is undoubtedly an effective shield to guarantee their normal living and working.

Das Gebiet am Ober- und Unterlauf desYangtse-Flußes ist einer der Gebiete, wo vom Hochwasser schwer heimgesucht wurde. Das Hochwasser kamm hauptsächlich aus dem Oberlauf des Yangts-Flußes oberhalb von Yichang. Und gerade befindet sich der Drei-Schluchten-Damm an der Kreuzung von den Mittelauf und Unterlauf des Yangtse-Flußes, so kann der Drei-Schluchten-Damm das Hochwasser aus Gewittersturm an dem Oberlauf effektiv kontrollieren. Der Drei-Schluchten-Damm spielte eine entscheidende Rolle beim Hochwasserschutz für Ebene am Mittel- und Unterlauf des Yangtse-Flußes, besonders für Jingjiang-Bezirk. Die Hochwasserkontrolle ist die hauptsächliche Funktion des Drei-Schluchten-Projekts. Der direkte Anlaß zum Bau des Projekts ist auch Hochwasserschutz. Mit einer Hochwasserschutz-Kapazität von 22.15 Mrd.m³ hat das Drei-Schluchten-Reservoir eine gesamte Länge von 600km lang vom Kopf bis zu Ende. Wenn der Wasserstand in Reservoir 175m erreicht hat, kann die gesamte Kapazität 39.3 Mrd m³ betragen. Das Ziel der Schutzmaßnahmen für Drei-Schluchten-Damm ist Widerstand gegen das Hochwasser, wie es seit 10,000 Jahren nur einmal dagewesen ist, und das Ziel der Schutzma?nahmen für Mittel- und Unterlauf wurde zum Widerstand gegen das Hochwasser von einmal in 10 Jahren auf das einmal in 100 Jahrn eingestellt. Aber jedoch kann der Aufbau des Drei-Schluchten-Projekts nicht von langer Dauer das Yangtse-Hochwasser beseitigen. Um solches Hochwasser gründlich zu beseitigen, ist es notwendig, den Hochwasserschutz-Damm zu sanieren und zu befestigen sowie die Hochwasserspeicherungsanlage am Mittel- und Unterlauf des Yangtse- Flußes zu bauen. nachdem der Drei-Schluchten-Damm fertiggebaut wurde, kann das Hochwasser, das im Jahre 1998 das ganze Einzugsgebiet des Yangtse-Flußes heimgesucht und dadurch den direkten wirtschaftlichen Verlust, der der gesamten Investition für Drei-Schluchten-Projekt gleicht, verursacht hat, beseitigt werden, indem das Hochwasserschutz-System in Betrieb gesetzt wurde. Für 150 Mill. Einwohner auf dem Gebiet am Mittel- und Unterlauf des Yangtse-Flußes ist das Drei-Schluchten-Projekt zweifellos ein effektiver Schild zur Sicherung ihres normalen Lebens und ihrer normalen Arbeit.

泄洪
Flood Discharge
Hochwasserabfluß

每到汛期，長江水從泄洪孔奔騰而下，濺起的水珠在江面上如烟似霧，若恰逢燦爛的陽光，七色彩虹便如約而至，成爲三峽大壩的一大景觀。

Whenever flood period comes, water surges downstream from the flood discharge openings and splashing droplets form a kind of misty and foggy scenery on the river surface. When shone on by brilliant sunshine, they may form colorful rainbows and create a unique grandeur for the Three Gorges Dam.

Wenn die Periode von Hochwasser kommt, fällt das Yangtse-Wasser aus den Hochwasserablaßöffnungen ab. Die gesprühte Wasserperlen schweben über dem Fluß wie Wolke und Nebel. Wenn es gerade unter dem glänzenden Sonnenschein steht, bildet sich ein siebenfarbiger Regenbogen. Dies ist eine einzigartige Erhabenheit vom Drei-Schluchten-Damm.

1998 年長江全流域發生大洪水，荊江兩岸一片澤國。直接經濟損失超過 2000 億元人民幣。

Disastrous flood occurred to the entire Yangtze River valley in 1998 and both sides of the Jingjiang River were entrapped in water. Economic loss thus caused exceeds RMB 200 billion.

Das Hochwasser des Yangtz-Flußes von 1998 hatte das Gebiet an beiden Ufern vom Jingjiang-Fluss zu einem Wasserland gemacht. Der vom Hochwasser verursachte dierekte wirtschaftliche Verlust schritt über 200.Mrd.RMB.

懸河
Elevated Riverbed
Erhöhtes Flußbett

鎮水獸 ■ Flood Curbing Beast ■ Tier zur Untrdruckung des Hochwassers

洪水中的小鎮
Towns in Flood
Dorf im Hochwasser

POWER GENERATION

發 電　Stromerzeugung

發電是興建三峽工程的另一重要目標。按當前的電價，三峽電站26臺機組全部投產后，年發電總量爲847億千瓦時，直接售電收入將達到250億元人民幣。僅此一項在可預見的年份内，三峽工程的全部投資便可收回，而三峽工程在防洪、航運等方面產生的巨大效益隨時間的推移更是不可估量。

Power generation is another important objective for the Three Gorges Project. After 26 generating sets are fully commissioned, they can generate 84.7 billion KWH per year. Based on current electricity rate, RMB 25 billion can be earned in direct income from sales of electricity. Based on this income alone, the Three Gorges Project can have full return of investment within the predictable period. As time goes on, on the other hand, the enormous benefit from such aspects as flood control and navigation is inestimable.

Stromerzeugung ist ein anderer wichtiges Ziel von dem Drei-Schluchten-Projekt. Im Jahre 2003 wurden 6 Generatorsätze in Betrieb genommen und haben sie insgesamt 8.62Mrd.kW/h Strom erzeugt, mit diesem Strom wurde die kritische Situation der Stromknappheit in China in diesem Jahr wesentlich gemildert. Von 2004 an werden jährlich mindest 4 x 0.7Mll.kW Generatorsätze für Stromerzeugung in Betrieb genommen. Nachdem alle 26 Generatorsätze in Betrieb genommen werden, kann es jährlich 84.7Mrd.kWh erzeugen. Und gemäß dem aktuellen Preis von Strom kann der Umsatz aus dem direkten Stromverkauf 25Mrd RMB erreichen. Nur aus diesem Bereich kann das angelegte Kapital für das Drei-Schluchten-Projekt schätzungsweise in geplanten Jahren voll wierdereingebracht werden. Unermeßlich ist der Effekt, was das Drei-Schluchten-Projekt bei dem Hochwasserschutz und der Schiffahrt mit dem Zeitverlauf eingebraucht hat.

發電機轉子吊裝
Lifting and Assembling of Generator Rotors
Montage mit Kran für Rotor des Generators

POWER GENERATION

發 電

發電機定子吊裝
Lifting and Assembling of Generator Stators
Montage mit Kran für Sator des Generators

發電站中央控制室
Central Control Room for Hydropower Station
Zentraller Kontrollraum vom Kraftwerk

壓力鋼管蝸殼
Volute of Pressurized Steel Pipes
Schneckenhaube für Druckstahlröhren

千秋大业，质量第一！
Quality as Top Priority for the Everlasting Undertaking!
三峡电厂宣

服从命令 坚守岗位 正确指挥 精心操作 圆满完成3号机组调试运行工作 水电八局

電站廠房内景
Inside View of Hydropower Station
Ausicht von Innenseite des Kraftwerkes

POWER GENERATION

發 電

2003年7月到2003年12月，三峽電站先后有6臺70萬千瓦發電機組投産發電。2004年三峽電站將有10臺以上70萬千瓦發電機組發電。全年發電將超過300億千瓦時。目前，單機70萬千瓦的發電機組國外一共有21臺，其中巴西伊泰普有18臺，美國大古力水電站有3臺。而三峽電站建成后，單機70萬千瓦的發電機組有26臺。

From July to December 2003, 6 x 700MW generating sets in Three Gorges Hydropower Station were commissioned. More than 10 x 700MW generating sets will be commissioned in 2004 and power generation for the full year will exceed 30 billion KWH. Currently, there are only 21 single 700MW generating sets internationally, including 18 sets in Itaip Hydropower Station in Brazil and 3 sets in Grand Coulee Station in USA. After completion, the Three Gorges Hydropower Station will have 26 single 700MW generating sets.

Von Juli 2003 bis Dezember 2003 wurden früh und spät insgesamt 6 x 0. 7Mill.kW Generatorsätze im Drei - Schluchten-Kraftwerk in Betrieb genommen. Und im Jahre 2004 werden noch mehr als 10 x 0.7Mill.kW Generatorsätze zur Stromerzeugung eingesetzt. Die Stromerzeugung im ganzen Jahr wird 30 Mrd. kWh überschreiten. Im Gegenawrt bestehen nur 21 Einzelgenerators?tze von 0.7Mill.kW im Ausland, davon sind 18 Sätze in dem Itaip-Wasserkraftwerk von Brasilien, 3 S?tze sind im Guri-Kraftwerk von Venezuela. Nach dessen Fertigstellung wird das Drei-Schluchten-Kraftwerk über 26 Einzelgeneratorsätze von 0.7Mill.kW verfügen.

三峽左岸電廠全景
Panorama of Hydropower Station on Left Bank
Panorama vom Kraftwerk am linken Ufer von Drei Schluchten

NAVIGATION

航 運 Schiffahrt

長江自西向東，溝通青海、西藏、四川、雲南、重慶、湖北、湖南、江西、安徽、江蘇、上海等十一省市、自治區，自古就是我國東西航運最重要的大通道。但航行條件并不理想，尤其是宜昌至重慶660公裏的航段，航道流經高山峽穀，地勢陡峭，航道彎曲，水流急，險灘多，暗礁密，通航能力低，運輸成本高，長江黃金水道的作用受到很大限制。

三峽蓄水到175米，將渠化宜昌到重慶的航道，從根本上改變川江的航運條件，水庫回水到重慶，形成深水航道，平均水深70米，平均寬約爲1100米，萬噸級船隊可直抵重慶。川江航運單向通過能力將由現在的每年1000萬噸左右，增加到5000萬噸，運輸成本降低30%－－37%。水上高速公路的形成將爲西部經濟的騰飛提供快速通道。

The Yangtze River surges from west to east and cuts through 11 provinces, municipalities and autonomous regions, including Qinghai, Tibet, Sichuan, Yunnan, Chongqing, Hubei, Hunan, Jiangxi, Anhui, Jiangsu and Shanghai. It has been an artery for west-east navigation in China since ancient times. However, the condition for navigation is far from ideal, particularly the 660km section from Yichang to Chongqing. This section cuts through high mountains and deep valleys, and features steep landform, zigzag water course, swift torrent, excessive shoals, hidden reefs, low navigability and high transport cost. As a result, it has hindered the function as a primary waterway for the Yangtze River.

When water storage level reaches 175m, it will improve the waterway from Yichang to Chongqing and the navigation condition on the Yangtze River. Then, backwater from the reservoir will reach Chongqing to form deep waterway 70m deep and 1100m wide on average. As a result, 10,000-tonnage ships can directly navigate to Chongqing. One-way throughput for navigation on this section of the Yangtze River will grow to 50,000KT (kiloton) compared with about 10,000KT currently, and transport cost will go down by 30%-37%. The establishment of this river expressway will provide a high-speed channel for the takeoff of the economy in West China.

Der Yangtse-Fluß wogt vom Westen nach Osten durch 11 Provinzen oder Städte sowie autonome Gebiete wie Qinghai, Tibet, Sichuan, Yunnan,Chongqing, Hubei, Hunan, Jiangsi, Anhui, Jiangsu und Schanghai. Er war seit der uralten Zeit eine wichtigste Verkehrsader für Schiffahrt zwischen dem Osten und Westen in China. Aber die Bedingungen für Schiffahrt waren nicht ideal, besonders bei einem Flußstreck von 660km von Yichang nach Chongqing. In diesem Streck fließt der Fluß durch Hochberge und tiefe Täler und ist geprägt durch das steile Gelände, den zickzackförmigen Schiffahrtsweg, reißenden Strom, die übermäßigen Untiefe, versteckten Klippen und niedrige Schiffahrtbarkeit sowie h?here Transportkosten. Als eine Resultat davon wurde die Funktion des Yangtse-Flußes als Hauptwasserweg im großen Maße behindert.

Wenn der Wasserstand im Reservoir die Höhe von 175m erreicht, wird der Schiffahrtsweg von Yichang bis Chongqing und die Bedingungen für Schiffahrt auf dem Yangtz-Fluß beträchtlich verbessert, denn das Rückwasser aus dem Reservoir erreicht Chongqing und bildet einen Tief-Wasserweg von 70m tief und 1100m breit im Durchschnitt. So können die Schiffe von 10, 000Tonnege direkt nach Chongqing fahren. Das Vermögen der Einweg-Schiffahrt wird von dem jetzigen 10,000,000t auf die 5000,000,000t erhöht und die Transportkosten werden um 30%-37% reduziert. Die Bildung der Schnell-Schiffahrtsbahn auf diesem Fluß wird einen Schnell-Durchgang für das Gedeihen der Wirschaft in West China schaffen.

巫峽夜航
Night Navigation through Wuxia Gorge
Nachtschiffahrt durch Wuxia-Schlucht

古栈道
Ancient Plank Road on Cliffs
Holzteg an der Felswand

勠黑的脊背，如弦的纖繩，深深的纖痕，回蕩在峽穀高山間的船工號子，踏磨光滑的古棧道蜿蜒在絕壁之上，無不昭示着古長江航運的艱辛，訴說着蜀道的艱難。

Sunburned backs, bowstring-shaped towropes, deep-cut towrope marks, boatmen's work songs lingering in the valleys and footstep-polished ancient plank roads on cliffs, everything embodies the painstaking efforts in navigation on the Yangtze River and the difficulty in traveling on narrow paths in Sichuan.

Der dunkelbraune Rücken, das saiteartige Treidelseil, die tiefe Spure vom Treidel und das in den Täler widerschallende Arbeitslied sowie der durch Fu?stapfen polierten alten Holzteg an Felswand verkörpern alle die Härte der Schiffahrt auf dem alten Yangtse-Fluß und beklagen die Schwirerigkeit zur Reise auf dem schmalen Pfad in Sichuan.

纖夫
Boat Tracker
Treidler

纖痕
Towrope Marks
Spur vom Treidel

　　三峽蓄水后，長江灘險水急的狀況得到根本改變，水的流速大大減緩，江面也平均增寬到1100米。在平穩舒適的游船上不僅可以盡情瀏覽兩岸碧水映奇峰，還可以目送清澈的江水從容東去。

　　After water is stored in the Three Gorges, it will substantially change the adverse situation of dangerous shoals and swift torrents, water flow-rate will decelerate to below 0.5m/sec from 4m/sec and the river surface will be broadened to 1100m on average. From pleasure boats, tourists not only can appreciate fantastic peaks on both sides but also appreciate clear water running slowly eastwards.

　　Nachdem der Wasser in Drei Schluchten gespeichert wurde, wird die Situation von gefährlichen Untiefen und dem reißenden Strom im Flußstreck zwischen Yichang und Chongqing wesentlich geändert. Die Fließgeschwindigkeit des Flußwassers wird von ca.4m/Sek. auf 0.5m/Sek. verringert und die Flußoberfläche wird durchschnittlich auf 1100m erweitert. Auf einem angenehmen Schiff kann man nicht nur mit Freude die fantastischen Bergipfel an beiden Seiten bewundern und als auch das klare Flußwasser ruhig ostwärts fließen ansehen.

NAVIGATION

航 運

二零零三年六月，三峡雙綫五級船閘試航成功，標志着長江新航運的開始。

In June 2003, the Two-route Five-stage Ship Lock successfully passed pilot navigation, marking the beginning of new navigation services on the Yangtze River.

Im Juni 2003 ist die Probeschiffahrt durch fünfstufige Drei-Schluchten-Schleuse erfolgt. Dies kennzeichnet den Beginn der neuen Schiffahrt auf dem Yangtse-Fluß.

船閘下游面
Downstream Side of Ship Lock
Seite unterhalb der Schleuse

船閘上游面
Upstream Side of Ship Lock
Seite oberhalb der Schleuse

首航
Virgin Navigation
Jungferfart

RESETTLEMENT

移 民 Umsiedelung

　　三峽工程成敗的關鍵在移民，舉世矚目的三峽工程建成時，整個庫區動遷人口總數將達到113萬人。其中，整體搬遷的城鎮居民占60%，40%的農村移民中有約14萬人外遷到中國經濟相對發達的地方，他們中的絕大多數被安置在庫區，生活質量已經有了很大提高。三峽工程建設的原則是"三峽電站一次建成，分期蓄水，連續移民"，這一方針爲移民工作者探索移民方略留下了回旋的余地。"開發性移民"政策的貫徹和落實，爲移民"搬得出、穩得住、能致富"打下了良好的基礎。

　　The success of the Three Gorges Project largely depends on the success of resettlement. After the completion of the Three Gorges Project, a total of 1.13 million residents surrounding the reservoir area will be resettled. Of these, urban residents account for 60% and rural residents account for 40%. Of the 40% rural residents, about 140,000 will be resettled in economically advanced regions in China and a majority will be resettled elsewhere in the reservoir area. For those resettled, their living level has been substantially improved. The construction of the Three Gorges Project follows the principles of "One-step construction of the Three Gorges Hydropower Station, phased water storage and continuous resettlement". This policy reserves some space for resettlement implementers to probe into optimal resettlement programs. The implementation of "development-oriented resettlement" policy has laid a good foundation to ensure that resettling residents "are willing to resettle, have good place to resettle and can become better off after resettlement."

　　Der Erfolg des Drei-Schluchten-Projekts hängt von der erfolgreichen Umsiedlung der Einwohner ab. Nach der Vollendung des Drei-Schluchten-Projekts wurden ingesamt 1.13 Mill Einwohner aus dem Gebiet rings um das Reservoir umgezogen. Und von denen sind 60% die städtischen Einwohner und die üblichen 40% sind die ländlichen Einwohner. Auch von diesem 40% werden 140,000 ländliche Einwohner in die wirtschftlich fortgeschrittenen Regionen in China ungezogen, aber die meisten davon wurden in dem Reservoirgebiet angeordnet. Aller Umsiedler haben dessen Lebensniveau beträchtlich erhöht. Wesentlich folgt der Bau des Drei-Schluchten-Projekts dem Prinzip "das Kraftwerk auf Ein-Schritt bauen, Wasser schrittweise speichern und die Umsiedlung kontinuirlich durchführen". Diese Richtlinie hat einen Spielraum für die Umwandlungsdurchführer zur Probe der optimalen Umsiedlung reserviert. Die Durchführung der Politik, die Entwicklung orientierende Umsiedlung " hat eine gute Grundlage für die Verwirklichung des Ziels von" alle Einwohner können willig umziehen, guten Platz zu wohnen haben und besseres Leben nach der Umsiedlung führen gelegt.

眷戀
Sentimentally Attached to Old Homes
Vom Gefüll für altes Heim ergriffen

RESETTLEMENT

移 民

別了三峽，爲了三峽
Farewell to Three Gorges and For Three Gorges
Abschied von Drei Schluchten und für Drei Schluchten

古宅拆遷　■ **Ancient House Removal**　■ Abreißen von alten Gebäuden

巫山移民搬遷　■ *Resident Resettlement in Wushan*　■ Umzug von Umsiedler in Wushan

秭归移民
Resident Resettlement in Zigui
Umzug von Umsiedler in Zigui

59

RESETTLEMENT

移 民

以秭歸新縣城爲代表，三峽庫區60%以上的移民屬城鎮居民，他們整體搬遷后，生活水平已經有了顯著提高。

More than 60% of resettling residents in the Three Gorges area such as New Zigui County Town are town or urban residents. After resettlement, their living level has been greatly improved.

Mehr als 60% der Umsiedler aus dem Gebiet rings um die Drei-Schluchten-Gebiet sind die städtischen oder ländlichen Einwohner in Neuer Zigui Kreisstadt, und deren Lebensniveau hat sich nach der Umsiedlung beträchtlich erhöht.

巫山新縣城
New County Seat of Wushan
die neue Kreisstadt Wushan

俯瞰秭歸新縣城
A Bird's-eye View of New Zigui Town
Bild von neuer Kreisstadt Zihgui aus Vogelperspektive

WAR

戰 争　Krieg

戰争距三峡大壩有多遠？三峡大壩會成爲戰争打擊的目標嗎？從三峡工程論證開始，三峡大壩如何面對戰争始終是熱點。

針對三峡大壩防空問題，相關領域的專家經過大量的化爆試驗、核爆試驗、潰壩模型試驗和特殊壩型的研究，最后確定一種妥善的防護措施：“臨戰預警，降低水位”，再輔以分洪措施，就可以將潰壩的洪水灾害，控制在荆州以上的局部地區，不至于影響荆江大堤的安全。

How far is war from the Three Gorges Dam? Will the Three Gorges Dam become the target of attack by war? Beginning from the demonstrating period of the Three Gorges Project, it has been a hot topic as for how the Three Gorges Dam will face the challenge from war?

As for the air defense of the Three Gorges Dam, experts of relevant fields have conducted extensive chemical explosion test, nuclear explosion test, dam collapsing test and research of special dam models and finally, they adopted an optimal protection approach, that is, "to give prewar alert and reduce water level". In addition to flood diversion measures, this can keep the flood disasters after dam collapse within local areas upstream of Jingzhou without jeopardizing the safety of the Jingjiang Dyke.

Wie weit ist der Krieg von Drei-Schluchten-Damm? Wird der Drei-Schluchten-Damm ein Angriffspunkt des Krieges sein? Seit dem Beginn der Beweisführung für Drei-Schluchten-Projekt besteht ein Heißpunkt: wie der Drei-Schluchten-Damm dem Krieg gegenüberstehen?

Für den Luftschutz des Drei-Schluchten-Damms haben die Spezialisten aus dem diesbezüglichen Fachgebieten viele umfangreichen Proben wie chemische Explosionsprobe, Atomexplosionsprobe, Einsturz-Probe sowie die Forschung für die speziale Dammform durchgeführt, und endlich haben sie eine optimale Maßnahme bestimmt: "vor dem Krieg alamieren und den Wasserstand absenken". Unter der Zusammenwirkung der Maßnahme für die Hochwasserableitung kann die Katastrophe, was durch Dammbrechung ausgelöst wurde, in den Teilgebieten vor Jingzhou gehalten werden, damit die Sicherheit des Jingjiang-Deiches nicht beschädigt werden kann.

雄偉的三峡大壩
Grand Three Gorges Dam
Stattlicher Drei-Schluchten-Damm

SEDIMENT

泥沙 Sediment

長江是一條水流含沙量少而輸沙量并不少的河流，每年來沙量高達5億頓。由于水庫蓄水，庫區水流速度變慢，導致泥沙在庫區和庫尾淤積，這不僅會影響水庫的使用壽命，還威脅著重慶港的通航，解決泥沙淤積問題是三峽工程需要攻克的一大難題。

據測算，三峽水庫泥沙60%以上來自長江上游金沙江段，2018年金沙江兩個梯級電站溪洛渡和向家壩建成之后，可減少一半的泥沙進入三峽水庫。另一方面，三峽水庫在水庫運行調度上採取"蓄清排渾"的方式，在枯水季節水庫蓄水至175米，而每年汛期，在來沙量大時，結合防洪，水庫水位降至145米，大量的來沙將隨滾滾洪水排出水庫。經科學試驗，預計運行80至100年后，三峽水庫可以基本達到衝淤平衡，水庫庫容仍可保持86%以上，三峽水庫不僅不會"死"，相反，隨着大量湖島的形成，具有庫區特色的水產養殖、休閑旅游等產業將迎來更大的發展空間。

The Yangtze River is a river with low silt content and relatively high silt discharge. Due to water storage in the reservoir area, water flow rate is decelerated, causing sand to settle in the reservoir area and the area close to the dam in particular. This not only affects the life cycle of the reservoir but also affects the navigation of Chongqing Port. It is a difficult problem to eliminate silt for the Three Gorges Project.

As estimated, over 60% of the silt in Three Gorges Reservoir comes from Jinsha River at the upper reaches of the Yangtze River. After completion of the two step-type hydropower stations, Xiluodu and Xiangjiaba, in 2018, silt discharging to the Three Gorges Reservoir can be reduced by 50%. On the other hand, in operation and dispatching mechanism, the Three Gorges Reservoir will "store clear water and discharge muddy water". That's to say, it will store water up to 175m water level in dry seasons and reduces water level to below 145m during flood period when a lot of silt is brought such that large volume of water with high silt content will flow away along with flood. In 80-100 years, as estimated through scientific tests, the Three Gorges Reservoir can basically keep balance between sedimentation and discharge, maintain its capacity above 86% and will not become a "dead" reservoir. Instead, with the formation of many lakes on the reservoir, it will create greater development space for such industries as aquiculture, leisure and tourism.

Der Yangtse-Fluß ist ein Fluß mit kleinem Schlammgehalt und aber mit der hohen Schlammübertragungsrate. Die jährlich mitkommende Sand-Menge erreicht 05 Mrd.t. Zur Wasserspeicherung in dem Reservoir reduziert sich die Stromgeschwindigkeit in der Reservoirzone, so daß es dazu führt, daß die Sandmenge im Reservoir und auch am Ende des Reservoirs anschwemmt, und wodurch nicht nur das Leben des Reservoirs beeinträchtigt und als auch die Schiffahrt im Chonging-Hafen bedroht werden kann. Das große Problem beim Dre-Schluchten-Projekt ist, den Schlamm zu beseitigen.

Schätzungsweise kommt der 60% solcher Schlamme im Drei-Schluchten-Reservoir aus dem Jinsha-Fluß am Oberlauf des Yangtse-Flußes. Nachdem 2 stufige Wasserkraftwerke in Xiluo und Xiangjiaba im Jahre 2018 fertig gebaut werden, kann die Schlammemenge, die in Drei-Schluchten-Reservoir mitgebracht wurde, um 50% reduziert werden. Übrigens, bei der Reservoirverwaltung wurde eine Methode "Klares Wasser in Reservoir zu speichern und trübes Wasser abzulassen" ergreifen. In der Trockenperiode wird das Drei-Schluchten- Reservoir mit dem Wasser bis 175m zur Wasserspeicherung erfüllt, und beim Hochwassersaison, wann das Flußwasser eine große Schlammemenge mitbringt, wird der Wasserstand bis 145m abgesenkt, so kann das Hochwasser mit einem großen Schlammgehalt aus dem Reservoir abfließen. Der Vorausrechnung nach kann das Drei-Schluchten-Reservoir innerhalb von 80-100 Jahren wesentlich ein Gleichgewicht zwischen der Sedimentation und dem Schlammablassen haben und die Kapazität des Reservoirs kann um 86% halten. Das Drei-Schluchten-Reservoir kann nicht nur kein ?todes Reservoir°∞ werden, sondern wird es im Gegenteil mit der Entstehung mehrer Insel im See einen größeren Spielraum für die Entwicklung der Industrien wie Fischerei- und Wasserkulturindustrie, Musse und Tourismus schaffen.

峽江泡漩
Silt in Three Gorges
Schlamm in Drei Schluchten

SEDIMENT

泥 沙

情侶瀑布
Lover Cascade
Liebespaar-Wasserfall

清泉石上流
Clear Water Running across Rocks
Klares Wasser fließt auf dem dem Stein

飛瀑流泉，茫茫林海，長江中、上游隨處可見的綠色森林，大大地減緩了長江兩岸的水土流失。

Flying cascades and fountains as well as vast green forests along the upper and middle reaches of the Yangtze River substantially reduce soil erosion on both banks of the river.

Der Wasserfall fliegt und das Quellenwasseer fließt. Die riesige grüne Wald am Ober- und Mittellauf des Yangtse-Flu?es reduziert die Bodenerosion an beiden Ufern des Flußes.

茫茫林海
Vast Forest Sea
Grenzenloser Forst-See

1、三峽工程建成蓄水后，將形成近400億立方米庫容的河道型水庫。水庫促發地震在中外大壩建設史上已有出現，三峽蓄水是否會促發地震一直是人們關注的焦點，經專家深入細致的研究表明，三峽工程所處地段遠離地震活動區，大壩壩址地殼結構清晰，成層性好，不具備孕育地震的條件。水庫促發地震必須同時具備兩個條件，一是足夠大的地應力，二是大的地質斷層，這兩點三峽壩區均不存在。三峽大壩設計抗震能力7級，所以蓄水后促發的小級地震對大壩安全不構成威脅。

2、三峽庫區地質災害主要是滑坡、崩岸和泥石流。由于山高坡陡，新遷建的移民城鎮不同程度存在滑坡等地質隱患，三峽水庫水位每年變化幅度近40米，這給地質結構脆弱的三峽帶來了更大的困難。一個新事物的誕生必然帶來新的矛盾。雖然地質災害給庫區人民帶來了災難，但這只是局部的暫時的，經過治理，若干年后必然達到新的平衡。然而，三峽工程給長江中下游1500萬人民帶來的長治久安，意義却是無比巨大的。

1. After water is stored, a riverbed reservoir with 40 billion cubic meters in storage capacity will come into being. In the history of dam construction, there have been examples of earthquakes induced by the construction of dams. It has been an extensive concern as for whether the Three Gorges Reservoir will trigger earthquakes. As shown through elaborate researches, the Three Gorges Project is far from seismically active belt and the location of the dam features clear earth crust structure with ideal stratification and without the prerequisite to trigger earthquakes. For a reservoir to induce earthquakes, it must simultaneously meet two prerequisites: sufficient crustal strain and great geological fault. Fortunately, neither of them exists for the Three Gorges Dam. The designed seismic resistance for the dam is Grade 7. Therefore, slight earthquakes triggered after water is stored will not threaten the safety of the dam.

2. Geological disasters around the Three Gorges Reservoir mainly include landslip, bank collapse and mud avalanche. Due to high mountains and steep slopes, new resettling towns are susceptible to geological hazards of different degrees such as landslip. The annual variation between high and low water levels for the Three Gorges Reservoir is about 40m, which may add difficulty to the vulnerable geological structure of the Three Gorges. However, it is understandable that new problems arise along with the birth of any new ideas. Though this project may make residents in the area susceptible to geological disasters, yet such disasters are local and temporary, and new balance can be achieved through many years' control. On the other hand, the Three Gorges Project can bring permanent safety for 15 million residents along the middle and lower reaches of the Yangtze River, which is of inestimable significance.

1. Nachdem das Wasser gespeichert wurde, kann ein Fluäbett-Reservoir mit einer Kapazität von 40Mrd.m3 gebildet werden. In der Geschichte des Damm-Aufbaus war es vorgekommen, daß das Reservoir die Erdbebe auslöst. Man hat immer die Sorge dafür, daß das Reservoir nach der Wasserspeicherung die Erdbebe auslösen kann. Die Folge der eindringenden Erforschung von Spezialisten zeigt darauf, da? sich das Drei-Schluchten-Projekt von Erdbebenaktivitätsgebiet weit entfernt, und der Sitz von Drei-Schluchten-Damm die klare Tekonik mit einer idealen Stratifikation und keine Bedingungen für Erdbebe hat. Die Erdbebe zu induzieren muß es gleichzeitig zwei Bedingungen bestehen: die ausreichende Krustenbelastung und die große geologische Verwerfung. Zum Glück existieren diese beiden nicht bei dem Drei-Schluchten-Damm. Die konstruierte Erdbenfestigkeit des Drei-Schluchten-Damms ist für Grad 7, und die durch die Wasserspeicherung ausgelöste kleine Erdbebe kann die Sicherheit des Damms nicht bedrohen.

2. Die geologischen Katastrofhen im Reservoirgebiet sind hauptsächlich der Erdrutsch, Uferbruch und Schlammstrom. Da die Berge zu hoch und zu steil sind, sind die neuen Städten für Umsiedler empfänglich im unterschiedlichen Abma? für geologische Risiko durch Katastrophe wie Erdrutsch. Die Änderung des Wasserstands in dem Reservoir zwischen dem Hoch und Nieder von ca. 40m im Jahr macht eine große Schwierigkeit für die Drei-Schluchten, was auch eine schwache geologische Struktur hat. Aber es ist verst?ndlich, daß das Provblem mit der Erstehung eines neuen Dinges auftritt. Zwar macht das Projekt die Einwohner im Reservoirgebiet empfänglich für die geologische Katastrophen, aber dies ist lokaliesiert und vorübergehend. Durch eine mehrjährige Regulierung kann ein neuer Ausgleich erreicht werden. Übrigens, das Drei-Schluchten-Projekt bringt eine ständige Sicherheit für die 15Mill.Einwohner im Gebiet am Mittel-und Unterlauf des Yangtse-Flußes. Dies ist von unschätzbarer Bedeutung.

夕照西陵峽
Sunset on Xiling Gorge
Xilingxia-Schlucht im Abendsonnenlicht

中堡島原貌
Old Look of Central Castle Island
Originalaussehen von Centraler Schloß-Insel

中堡島，這塊上帝賜予的土地，是長江三峽中唯一的江中小島。其下面是厚且堅硬的整塊花崗岩，是建大型水電站的極佳地址。鑽出的花崗岩芯，令人嘆爲觀止，也是游客收藏的佳品。

Known as "Godsend", the Central Castle Island is the only island in the middle of the river along the Three Gorges. Underneath the island is integral granite block. Therefore, it is an ideal location for a large hydropower station. Granite rock core drilled out is really breathtaking and can serve as ideal keepsake for collection by tourists.

Die als das "Geschenk des Gottes" genannte Zentrale Schloß-Insel ist eine einzige kleine Insel in der Drei Schluchten des Yangtz-Flußes. Unter der Erde dieser Insel ist ein fester Granitblock, was ein idealer Platz für das große Wasserkraftwerk Der ausgebohrte Granitkern von hier ist wirklich atemberaubend und kann als das ideale Erinnerungsstück für Touristen sein.

岩芯
Rock Core
Bohrkern

雄偉的三峽大壩，讓生生不息的長江水在660公裏狹長地帶改變了他自身的流態。三峽工程對環境的影響成爲了世界關注的熱點之一，總體而言，修建三峽大壩，利遠大于弊。

有利的一面：

1、三峽工程有效控制了長江洪水；提高了中下游河段兩岸的防洪能力；有效地減免了洪災對環境的破壞；減緩了洞庭湖的萎縮；1500萬人口和2300萬畝耕地受到保護；對改善長江中下游的生態環境的效果是顯著的。

2、三峽工程利用水能發電，年發電量847億千瓦時，可替代年燃燒5000萬噸原煤的能量，這意味着每年可少向大氣層排放造成地球温室效應的二氧化碳1億噸，造成酸雨的二氧化硫100—200萬噸，一氧化碳1萬噸，以及大量的固體廢渣。由此可見，三峽工程不論是對全球性的大環境還是區域性的小環境都是有利的。

不利的一面：

1、淹没了庫區耕地1.72萬平方公裏。

2、由于水庫蓄水，水流速度變緩，江水自净能力大大降低，沿江兩岸的污水，生活垃圾不妥善處理，三峽水庫將變爲一庫污水。針對這一問題，國家專項撥款400億元，用10年時間在沿江大中小城鎮，建設污水處理廠，垃圾處理廠，目前進展順利。

Due to the construction of the grand Three Gorges Dam, the Yangtze River changes its posture at the 660km-long narrow belt. The impact of the Three Gorges Project on environment has attracted extensive attention from the world. As a whole, the Three Gorges Dam features significant advantages and insignificant disadvantages:

Advantages:

1. The Three Gorges Project effectively controls floods in the Yangtze River; improves flood control capacity for the middle and lower reaches; effectively reduces the damage of floods on environment; relieves the shrinkage of the Dongting Lake; protects 23 million mu arable land for 15 million residents; and plays an important role in improving the ecological environment for the middle and lower reaches of the Yangtze River.

2. Using hydroenergy to generate power, the Three Gorges Project can generate 84.7 billion KWH electrical power per year, which can substitute the power generated by burning 50,000KT raw coal. Specifically, this can reduce the discharge of 100,000KT carbon dioxide that can create greenhouse effect; 1000-2000KT sulfur dioxide that can generate acid rain; 10KT carbon monoxide; and large quantities of solid dregs. To sum up, the Three Gorges Project is beneficial to the global environmental as well as the local environment.

Disadvantages:

1. The Three Gorges Project protects 15,000,000km2 arable land along the middle and lower reaches but its reservoir inundates 17,200km2 arable land.

2. Due to water storage and decelerated flow rate, the self-purifying capability of the river is greatly reduced. If wastewater and domestic garbage on both banks are not treated properly, the Three Gorges Reservoir will become a pond of sewage. To solve this problem, the state government has allotted RMB 40 billion special-purpose funds to construct wastewater treatment plants and garbage treatment plants in medium and small towns along the middle and lower reaches. Currently, this program is going on smoothly.

Da der großartige Drei-Schluchten-Damm gebaut wurde, hat sich die Stellung des Yangtse-Flußes in einer schmalen Zone, die 660km lang ist, geändert. Der Einfluß auf die Umwelt durch Drei-Schluchten-Projekt hat die Aufmerksamkeit von allen Seiten der Welt erregt. Aber alles in allem, der Drei-Schluchten-Damm hat mehre Vorteile als Nachteile.

Vorteile:

1. Das Drei-Schluchten-Projekt kontrolliert effektiv das Hochwasser von Yangtse-Fluß, erweitert die Kapazität von dem Mittel- und Unterlauf des Yangtse-Flußes, reduziert effektiv die Beschädigung der Umwelt durch Hochwasser, erleichtert die Flächenschrumpfung von dem Dongting-See, schützt die Einwohner von 150.Mill. und das Ackerland von 23Mill.Mu, spielt eine wichtige Rolle bei der Verbesserung der ökologischen Verhältnisse im Gebiet am Mittel- und Unterlauf des Yangtse-Flußes.

2. Das Drei-Schluchten-Projekt nutzt die Wasserkraft zur Stromerzeugung und kann jährlich den eletrischen Strom von 84.7Mrd kW/h erzeugen, was die durch Brenen mit Kohle von 50 Mill.t erzeugte Energie ersetzen. Geht man von der direkt ersparten Menge der Kohle aus, werden jährlich mindestens 0.1Mrd.Tonnen weniger Kohlendioxid, das den Treibhaus-Effekt der Erde verursacht, 1-2Mill. Tonnen weniger Schwefeldioxid, das Sauerregen schafft, 10,000 Tonnen weniger Kohlenmonoxid in die Umwelt abgegeben. Daraus ist zu ersehen, daß das Drei-Schluchten-Projekt nicht nur für die globale Umwelt als auch für lokale Umwelt günstig ist.

Nachteile:

1. Das Drei-Schluchten-Projekt schützt trotzdem das Akerland von 1.50Mill km3 auf der Ebene am Mittel-und Unterlauf des Yangtse-Flußes, aber es hat das Ackerland von 17.200 Mu im Reservoirgebiet überschwemmt.

2. Zur Wasserpeicherung in Reservoir reduziert sich die Fließgeschwindigkeit des Flußes, und wobei verringert sich auch die Selbstreinigungsfähigkeit des Flußwassers beträchtlich. Wenn das Schmutzwasser und den Müll von beiden Ufern nicht richtig behandelt werden, kann das Drei-Schluchten-Reservoir auch ein Teich vom Abwasser werden. Zur Lösung dieses Problems hat die

Staatsregierung eine zweckgebundene Geldsumme von 40Mrd.RMB dafür zugewiesen, die Reinigungs-und Müllbehandlungsanlagen in den großen oder kleinen Städten sowie in den Gemeinden entlang dam Flu? zu errichten. Diese Arbeit geht momentan reibungslos.

夔門雄姿
Grand Kuimen Gorge
Großartige Kuimen-Schlucht

ECOLOGICAL AND ENVIRONMENTAL PROTECTION

生態環保

三峽蓄水前，動、植物專家爲三峽珍稀動植物均找到了新"家"，它們安居樂業、興旺發達，一派繁榮景象。

蓄水前的清庫是確保長江水質的重要措施之一。千年古鎮奉節第一爆拉開了三峽蓄水清庫的序幕。

Before water storage, zoologists and botanists have found new "homes" for rare animals and plants around the Three Gorges. They have found their suitable habitat and are experiencing a kind of prosperity.

Clearance before water storage is an important approach to protect the water quality of the Yangtze River.

The first blast in the 1000-year-old town Fengjie unveiled the drive to clear the reservoir for water storage.

Bevor das Wasser in Drei-Schluchten-Reservoir gespeichert wurde, haben die Zoologen und Botaniker den neue "Heim" für die seltenen Tieren und Pflanzen von Drei Schluchten gefunden, wo sie ruhig leben sowie einen Wohlstand erfahren können.

Das Reservoir vor der Wasserspeicherung zu s?ubern ist eine der wichtigen Maßnahmen für Garantie der Wasserqualität des Yangtse-Flußes. Mit der ersten Explosion in tausendjähriger alter Gemeinde Fengjie wurde das Vorspiel der Reservoirsäuberung von 2003 begonnen. Und von 2004 an wurde die S?uberung von Drei-Schluchten-Reservoir in die richtige Bahn gelenkt.

放養中華鱘幼苗
Stocking of Young Chinese Alligators
Die Fischbrut von Chinesischen Störe zur Zucht

奉节第一爆
First Blast in Fengjie
Erste Explosion in Fengjie

CULTURES AROUND THREE GORGES

三峽文化 Kultur von Drei Schluchten

若説三峽的雄、奇、險讓人流連往返，嘆爲觀止，那么品味三峽文化的神韵，則更令人蕩氣回腸。屈原被放逐，成爲放歌三峽第一人；三國群英聚三峽，在硝烟彌漫中譜下忠義曲；李白"朝辭白帝彩雲間"，如神仙般飄然而去；貧困潦倒擋不住杜甫"即從巴峽穿巫峽，便下襄陽向洛陽"的喜悦。歷史上，曾駐足三峽的政治家、軍事家和文學家不計其數。三峽文化是長江文明最華彩的樂章，歷代歌咏三峽的詩歌有4000多篇，三峽被稱爲詩歌的聖殿。新三峽的誕生宣告了一個新時代的開始。"無邊落木蕭蕭下，不盡長江滾滾來"，三峽必將再續他輝煌的新篇章。

If the Three Gorges is attractive and breathtaking for its grandeur, uniqueness and precipitousness, it is more attractive for its rich cultures. Qu Yuan was banished and became the first poet to compose poems in praise of the Three Gorges; Heroes of Three Kingdoms (220-265) fought battles there; Poet Li Bai toured past Three Gorges like a god with his "Starting from Baidi Town in the morning..."; Poet Du Fu expressed his pleasure in "Touring through Wuxia Gorge and then from Xiangyang to Luoyang" despite his poverty-stricken condition. In history, countless politicians, strategists and writers toured the Three Gorges. The culture of the Three Gorges is the grandest chapter of the Yangtze River civilization. In history, there are more than 4000 poems in praise of the Three Gorges. The birth of the New Three Gorges represents the beginning of a new era. The longstanding Three Gorges will turn a new chapter in its grandeur.

Wenn man die Drei Schluchten für stattlich, seltsam gefährlich, faszinierend und atemraubend hählt, ist es doch mehr faszinierender, deren reiche Kultur zu bewundern. Qu Yuan, der verbannt wurde, war der erste Dichter, der für die Drei Schluchten komponiert hatte; die Helden aus der Zeit von Drei Reichen (220-265) trafen sich in Drei Schluchten zusammen; der Dichter Li Bai reiste mit seinem, Start aus Baidi-Stadt am Morgen... "Dichter Du Fu drückte aus seine Freude bei seiner" Reise durch Wuxia-Schlucht und dann aus Xiangyang nach Luoyang "und hatte seine hoffnungslose Armut geschildert. In der Geschichte bereisten zahllose Politiker, Stratege und Schriftsteller die Drei Schluchten. Die Kultur von Drei Schluchten ist das großartigste Kapitel der Yangtse-Fluß-Zivilisation. In der Geschichte gab es mehr als 4000 Gedichte, die die Drei Schluchten loben. Die Erstehung der Neuen Drei Schluchten proklamiert den Anfang einer neuen Epoche. Die alte Drei Schluchten wird ein neues Kapitel in seiner großartigen Geschichte schaffen.

江韵
Charm of the Yangtze River
Scharm vom Yangtse-Fluß

CULTURES AROUND THREE GORGES

三峡文化

白鶴梁位于長江與烏江匯合處重慶涪陵的江心，是長江中的一道天然石梁，長約1600米，寬約25米。每到枯水季節，它就像一條巨鯨的脊背露出水面。它仿佛長江的靈魂，一旦現身，人們就要去祭祀膜拜，誠惶誠恐，看看大河之神在黑暗之中又干了些什么。唐人、宋人、元人、明人、清人，直到現在，人們在這道石梁上留下銘文。"白鶴繞梁留踪迹，石魚出水兆豐年。"留在黑色石頭上的兩條唐代的石魚成爲長江中不朽的神的化身。爲保護這一世界級的文化古迹，經過十幾年的討論、探索，現在已經動工興建一座水中博物館，投資總額1.4億元人民幣，預計2008年建成。

White Crane Beam is located in the center of the Yangtze River at the confluence between the Yangtze River and Wujiang River close to Fuling in Chongqing. As a natural stone beam in the Yangtze River, it is 1600m long and 25m wide. During dry seasons of spring and winter, it appears out of water like the back of a giant whale. People worship it as the soul of the river and once it appears, people come far and wide to worship it and offer sacrifices. People of different dynasties have left inscriptions on the stone beam, including people of such dynasties as Tang, Song, Yuan, Ming, Qing and modern people. "White crane and stone fish predict a harvest year". The stone fish engraved on the stone in the Tang Dynasty has become the incarnation of the god of the Yangtze River. To preserve this world-class cultural heritage, extensive exploration has been conducted in the past decade and an aquatic museum with the total investment of RMB 140 million is now under construction and expected to be completed in 2008.

Balken von Weißkranich, der sich in der Mitte des

Yangtse-Flußes am Zusammenfluß von Yangtse-Fluß und Wujiang-Fluß im Norden der Stadt Fuling in Chongqing befindet, ist ein naturaler Steinbalken im Yangtse-Fluß. Er ist ca.1600m lang und ca. 25m breit und zeigt immer seinen Rücken wie ein risiger Wal aus dem Wasser im Frühling oder im Winter oder in der Trockenzeit. Die Leute verehrten diesen Balken wie die Seele des Yangtse-Flußes. Wenn er scheinte, kammen die Leute von weiter hier, um ihn zu verehren und ihm zu opfern. Die Leute von verschiedenen Dynastien einschl. Tang-, Song-, Yuan-, Ming-, Qing und auch die Leute von heute haben die Inschriften auf diesem Steinebalken gelassen." Weißkranich und Steinefisch symbolisieren das fruchtbare Jahr°±. Die zwei auf dem schwarzen Steine geschnitzten Fische von Tang-Dynastie sind die Verkörperung des Gottes von Yangtse-Fluß geworden. Um diese historische kulturale Erbe der Welt-Klasse zu schützen, wurde eine umfangreiche Erforschung in einem Jahrzehnt durchgeführt, und als das Resoltat dieser Froschung wird ein Museum im Wasser mit einer gesamten Investition von 140Mrd.RMB gebaut. Und der Bau erwartet die Fertigstellung in Jahre 2008.

水下碑林白鹤梁
White Crane Beam, An Underwater Stone Tablet
Balken von Weißkranich, Gedenksteine unter dem Wasser

CULTURES AROUND THREE GORGES

三峽文化

張飛廟位于重慶市雲陽縣的長江南岸．背負萬木葱蘢的飛鳳山、琵琶山，與雲陽縣城隔江相望，是長江三峽風景名勝區中最爲重要的人文景觀之一。張飛廟內自清朝以來保存了大批珍貴的木刻、石刻、字畫等，并有"文藻勝地"的美譽。三峽工程蓄水后，張飛廟的復建工作已經完成。新址在雲陽區的盤石鎮，總投資4000萬元人民幣。新建張飛廟在修舊如舊的基礎上，也充分地考慮了建築物與地形、地貌的呼應和襯托，最大限度地保留了原有風貌。

Located on the southern bank of the Yangtze River in Yunyang County of Chongqing under the evergreen Phoenix-flying Mountain and Lute Mountain, Zhang Fei Temple is one of the most important man-made historical relics in the Three Gorges scenic spot. Zhang Fei Temple has preserved a lot of precious woodcuttings, stone carvings, scripts and paintings since the Qing Dynasty and is known as "Shrine of Writings". The reconstruction of Zhang Fei Temple has been completed in preparation for water storage of the Three Gorges Reservoir. Its new location is in Panshi Town in Yunyang County and the project costs a total investment of RMB 40 million. The new temple is a duplicate of the old one and in addition, harmony between architecture, landform and physiognomy is taken into consideration in an effort to maintain its original look.

Der sich an dem südlichen Ufer des Yangtse-Flußes in Kreisstadt Yunyang von Chongqing unterhalb von dem grünen Feifeng-Berg und dem Piba-Berg befindende Zhang-Fei-Tempel ist eine der wichtigen Sehenswürdigkeiten in der landschaftliche Zone von Drei Schluchten. Der Zhang-Fei-Tempel verwahrt seit Ming-Dynastie eine große Menge von wertvollen Holzschnitzerei, Steineschnitzerei, Kalligraphie sowie Gemälde und hat einen Ruhm "Schrein der Schriften" erworben. Der Umbau des Zhang-Fei-Tempels wurde bei der Vorbereitung für Wasserspeicherung vollendet. Der neue Sitz dieses Tempels liegt in Panshi-Gemeinde in Yunyang-Bezirk. Dieses Projekt kostet eine gesamte Investition von 4 Mill. RMB. Der neue Tempel wurde auf seiner alter Basis kopiert und hat unter der Berücksichtigung auf die Harmonie zwischen der Archtektur, Topographie und Geomorphologie das originale Aussehen möglichst gehalten.

張飛廟
Zhang Fei Temple
Zhangfei-Tempel

位于長江北岸的石寶寨屬重慶忠縣，始建于明末清初，距今已有400年歷史。石寶寨塔樓依山而建，高12層，爲三方四角閣樓，是現存最高和層數最多的穿鬥式木結構建築。三峽蓄水后，整個寨子將成爲江中孤寨，投資近9000萬元人民幣的保護工作已全面展開。那時，游客既可踏吊橋走進古寨，親密接觸；也可在船上遠眺她的古樸、雄渾。

Located in Zhongxian County of Chongqing, Shibao Fortress was built more than 400 years ago in early Qing Dynasty. The 3-sided quadrilateral 12-story tower was built up a cliff and is the highest through-jointed wooden structure with more stories than any other such buildings intact currently. After water storage, the fortress will become an isolated fortress on the river and now the preservation project with the total investment of RMB 90 million is fully underway. After completion, tourists can access the ancient fortress via suspension bridge and appreciate her simplicity and grandeur far away on boat.

Die sich im Zhongxian-Kreis von Chongqing an dem Nordufer des Yangtse-Flußes befindende Shibao-Festung miteiner Geschichte von 400 Jahren wurde am Anfang der Qing-Dynastie gebaut. Das turmförmige Gebäude von Shibao-Festung wurde am Bergabhang gebaut und hat 12 Stockwerken. Dieses Holzbauwerk zeigt sich in einer Form vom dreiseitigen Pavillon mit 4 Ecken, was das höchste vorhandene Bauwerk mit der Durch-Verbindung-Struktur ist und mit der Zahl der Stockwerken den ersten Platz in China belegt. Nach der Wasserspeicherung in Drei Schluchten wird dieses Festung eine isolierte Insel im Fluß sein. Das Schutzprojekt mit einer gesamte Investition von 90Mill.RMB f®πr dieses Bauwerk entwickelt sich völlig. Nach der Fertigstellung des Schutzprojekts können die Touristen durch die Hängebrücke auf diese uralte Festung zugehen und deren Einfachheit und Herrlichkeit von weit bewundern.

石寶寨
Shibao Fortress
Shibao-Festung

CULTURES AROUND THREE GORGES

三峽文化

　　三峽古民居，零星地分布在長江兩岸，生動地再現着兩岸人民的淳樸民風。大昌古城位於巫山縣大寧河東岸，是風格別致的三峽民居的典型代表，至今已有1700多年的歷史。城內建築飛檐，古樸幽雅，獨具風姿。根據三峽工程文物保護規劃，大昌城已經整體搬遷復建在大昌鎮的新址。瀏覽完小三峽后，順道去看看古鎮遺風，品品民俗鄉情，不亦快哉！

　　Dachang Ancient Town is located on the east bank of Daning River in Wushan County and has a history of over 1700 years. Architecture in the town features upturned eaves, exhibiting a primitive, elegant and unique air. Based on Three Gorges Project Relics Preservation Program, Dachang Town will be entirely relocated in its new location in Dachang. It is nice to visit the ancient town and experience folk customs after touring Small Three Gorges.

　　Die alte Dachang-Stadt befindet sich auf dem Ostufer des Daning-Flußes im Kreis Wushang und hat eine Geschichte von 1700Jahren. Die Architektur mit Dachschwingungen in Dachang-Kreisstadt ist altertümlich, ruhig und reizvoll. Gemäß dem Gesamtplan für den Schutz der Gedenkmale von Drei Schluchten wurde die Stadt Dachang im ganze umgezogen und auf dem neuen Sitz umgebaut. Wie schön ist, die uralte Gemeinde zu besichtigen und deren Volksbrauch nach der Bereise der Klein Drei Schluchten erfahren.

古鎮院落　■ Courtyard in Ancient Town　■ Hof in uralter Gemeinde

古鎮婚禮　■ Wedding in Ancient Town　■ Heiratsfeier in uralter Gemeinde

古城門　■ Ancient City Gate　■ Altes Stadttor

桂林村民居
Folk Residence in Guilin Village
Siedlung in Guilin-Dorf

CULTURES AROUND THREE GORGES

三峽文化

　　三峽地區的石刻題記主要有碑刻、摩崖題刻和自然石刻幾種。這些題刻主要刻在峽江兩岸的岩壁和巨石之上。其內容有關于長江洪水、枯水和魚坊主權的記載；有治理險灘和河道的石刻；有咏嘆山川形勝和峽江風光的題記等。

Stone carvings and inscriptions in the Three Gorges area mainly include upright stone tablet, precipice inscription and natural stone carvings. These inscriptions are mainly inscribed on rock walls and giant boulders along the banks of the Three Gorges, and their contents mainly include the records of floods, droughts, fishing boats, harnessing of dangerous shoals and waterway as well as inscriptions depicting mountain forms and scenery of the Three Gorges.

Die Steineschnitzerei für Inschriften in der Gegend von Drei Schluchten umfaßt die Gedenkmal-Schnitzerei, Felswand-Schnitzerei und Naturstein-Schnitzerei. Die Inschriften wurden zum meisten an der Felswand oder auf dem Stein an beiden Ufern des Yangts-Flußes geschnitzt und deren Inhalt betrifft die Aufzeichnung über das Hochwasser von Yangtse-Fluß, die Trockenzeit und das Inhaberrecht von dem Fischgewerbe, Regulierung des Flußes und Beseitigung der Untiefe, sowie den Lobspruch über die Schönheit des Berges und die Landschaft von Drei Schluchten.

CULTURES AROUND THREE GORGES

三峡文化

白帝城正
Front Gate of Baidi Tov
Vordertor von Baidi-Sta

白帝城、奉節縣城、雄偉的夔門是瞿塘峽起始點上最爲閃亮的文化三角帶，是三峽歷史文明的匯萃地。三峽大壩則是現代科技與文明的宏偉結晶，它們交相輝映，使新三峽更加煥發出奪目的光彩。白帝城背倚青山，三面環綠水，三峽蓄水175米以后，守望夔門2000余年的白帝城將成爲江中孤島。"欲舍草堂河，更戀夔門水"，草堂河面上依稀回蕩着杜甫的歌聲："安得廣厦千萬間，大庇天下寒士俱歡顔"。唯有夔門，刀削斧劈，巍然聳立，一幅舍我其誰的豪邁氣概。

Baidi Town, Fengjie Town and Kuimen represent the most brilliant cultural triangle at the starting point of the Qutang Gorge as well as a convergent point for historic civilization of the Three Gorges. Accordingly, the Three Gorges Dam is the product of modern science, technology and civilization. They complement each other, adding charm and brilliance to the New Three Gorges. Baidi Town is backed up by green mountains and surrounded by water on three sides. After water level reaches 175m, Baidi Town that has faced Kuimen for 2000 years will become an isolated island in the river. "I am reluctant to leave Caotong River but I love Kuimen water better". Caotong River still echoes Poet Du Fu's poem "I wish there would be thousands of houses to home those homeless". Kuimen soars up as if it were carved by knife and axe, exhibiting a unique majestic air.

Die Beidi-Stadt, Fengjie-Kreisstadt, und Kuimen bilden eine glänzendeste kulturale Dreiecke an dem Ausgangspunkt der Qutang-Schlucht, wo der Zusammenströmungspunkt der historischen Zivilisation von Drei Schluchten ist. Und der Drei-Schluchten-Damm ist ein Produkt von moderner Wissenschaft und Technologie sowie der Zivilisation. Sie vervollkommnen einander, so daß die neuen Drei Schluchten noch prächtiger strahlt. Die Baidi-Stadt steht am Berg und wurde in drei Steiten von dem Wasser umgeschloßen. Wenn der Wasserstand die Höhe von 175m erreicht, wird die Baidi-Stadt, was die Kuimen schon ca.2000 Jahre bewacht hat, eine isolierte Insel im Fluß sein. "Ich widerstrebe dem Abschied von Caotang-Fluß, aber ich liebe Keimen-Wasser noch mehr". Der
Caotang-Fluß widerschallt noch Gesang von Du-Fu: "Ich wünsche der Welt tausende Häuser für diese hauslose Menschen". Die Kuimen, die durch Messer oder Axt geschnitten würde, ragt dort empor und zeigt eine geistige Haltung davon: wer den sonst, wenn nicht ich.

劉備托
Liu Bei Entrusts His Child to Zhuge Lia
Betrauen mit dessen Kinder von L

俯瞰白帝城
Bird's-eye View of Baidi Town
Baidi-Stadt aus Vogelperspektive

CULTURES AROUND THREE GORGES

三峡文化

走進白帝城，你會被劉備、關羽、張飛、諸葛亮演繹的大英雄主義感染；觀看粉壁墙，你會驚嘆于巨大的摩崖石刻，巧奪天工；經過灩滪灘，静静守候的鎮江鐵柱，會令你肅然起敬。走出瞿塘峽，迎面便是大溪河在舒緩山坡的護送下匯入長江，坡面便是名貫中外的大溪文化遺址。大溪文化、湖北巴東縣的柳林溪文化和朝天嘴文化等等，把三峽古人類的足迹推到了6000萬年以前。

In Baidi Town, you will be inspired by the heroic deeds of Liu Bei, Guan Yu, Zhang Fei and Zhuge Liang. Looking at the powdered walls, you will gasp at the wonderful giant precipice carvings. Passing the black and white stone beaches and the tranquil river-locking iron pillar, you will be filled with deep esteem. Out of the Qutang Gorge, Daxi River joins the Yangtze River accompanied by leisurely slopes and on the side of the slopes is the famous Daxi Cultural Relics. Daxi Culture, Liudongxi (Badong County, Hubei) Culture and Chaotianzui Culture trace back to 60 million years ago for the footprint of ancient humans around the Three Gorges.

In der Baidi-Stadt können Sie durch den Heroismus der Helden Liu Bei, Guan Yu, Zhang Fei und Zhu Geliang begeistert werden. Wenn Sie die geputzte Wand blicken, werden Sie nach Luft schnappen und bewundern, wie großartig die Steilhang-Schnitzerei ist! Fahren Sie durch den Weiß-Schwarz-Steinstrand, können Sie die Ehrfurcht vor Fluß-Beruhigungsstahlsäule empfinden. Aus der Qutang-Schlucht, fließt der Daxi-Fluß unter der Begleitung des sanften Bergabhangs in den Yangtse-Fluß ein. Und an der Seite des Bergabhangs ist die weltbekannte Relikte von Daxi-Kultur. Die Daxi-Kultur, Liulinxi-Kultur (im Kreis Badong der Provinz Hubei) und die Chaotianzui-Kultur usw. haben die Fußspur der uralten Menschen rings um die Drei Schluchten bis zu der Zeit vor 60Mill.Jahren zurückgetrieben.

大溪文物挖掘現場 ■ Relics Unearthing Site in Daxi ■ Archäologische Grabst?tte in Daxi

鎮江鐵柱 ■ River-locking Iron Pillar ■ Fluß-Beruhigungsstahlsäule

大溪文化遺址　■ Daxi Cultural Relics　■ Alter Sitz von Daxi-Kultur

CULTURES AROUND THREE GORGES

三峽文化

屈原（約公元前340—278年）是我國最早的偉大愛國詩人。其《離騷》,《九章》,《九歌》,《天問》等篇章，開辟賦先河，文雄千古，聲貫古今，傾倒無數文人騷客。1953年，世界和平理會將屈原與法國作家拉伯雷，古巴詩人巴蒂及波蘭天文學家哥白尼并列爲世界四大文化名人。今天的屈原祠座落在三峽大壩上游面的鳳凰山上，是三峽文物保護的重點單位，它與石寶寨、張飛廟、白鶴梁合稱爲長江三峽人文景觀的四大瑰寶。

王昭君，中國古代四大美人之一．漢元帝時，嫁給匈奴呼韓邪單于，成爲匈奴王后。由于昭君和親，結束了漢匈長期以來的戰爭，王昭君因此成爲＂和平的使者＂，名傳千古。

Qu Yuan (340-278 B.C) is the first great patriotic poet in China. His works such as "Lisao", "Nine Chapters", "Nine Poems" and "Ask the Heaven" started the literal form in China and he was admired by countless men of letters. In 1953, Qu Yuan was listed as one of the four famous men of letters in the world by World Peace Council, the other three being French writer Abelais, Cuban poet Batti and Polish astronomer Copernicus. Now, Qu Yuan Temple is located on Phoenix Mountain upstream of the Three Gorges Dam as one of the historic preservations in the Three Gorges area. Qu Yuan Temple, Shibao Fortress, Zhang Fei Temple and White Crane Beam are known as four man-made historic sites around the Three Gorges.

Wang Zhaojun is one of the four beauties in ancient China. During the reign of Emperor Hanyuan, she married Huyan Xie, chief of Xiongnu, and thus became Xiongnu queen. Zhaojun's marriage with Xiongnu brought an end to the longstanding war between Han nationality and Xiongnu. As a result, Wang Zhaojun is known by later generations as "Peace Envoy".

Qu Yuan (340-278 v.Z) war der Erste patriotische Dicher in China. Seine Werke wie "Lisao", "Neues Kapitel", "Neun Gedichte" und "Frage den Himmel" haben den Anfang der wörtlichen Form in China gemacht. Seine Werke wurden von zahllosen Gelehrten oder Literaten beliebt. Im Jahre 1953 wurde Qu-Yuan von dem Weltfriedenrat in der Reihe aus vier berühmten Gelehrten in der Welt eingeordnet, die anderen Drei sind der französische Schriftsteller Rabelais, kubanische Dichter Batti und poländische Astronom Copernicus. Der jetzige Yuan-Tempel befindet sich auf dem Phönix-Berg oberhalb des Drei-Schluchten-Damms und ist eine Einheiht zum Schwerpunktschutz von Kulturgegenst?nden. Der Qu-Yuan-Tempel wurde mit der Shibao-Festung, dem Zhang-Fei-Tempel und demWeißkranich-Balken zusammen als vier Paritäte, was von den Menschen rings um die Drei Schluchten des Yangtse-Flußes geschafft wurden, genannt.

Wang Zhaojun war eine der Vier Sch?nheiten im Altertum und hatte in der Zeit des ersten Kaisers von Han-Dynasty den Hunnenhauptling Huyan Xie geheiratet und war die Königin von Hunnen geworden. Durch diese Heirat wurde der langjährige Krieg zwischen der Han-Dynastie und dem Hunnen-Reich beendet. Und Wang Zhaojun wurde von den nachkommenden Generationen als die

"Botschafte des Friedens" verehrt und ihr Name überliefert bis heute.

昭君故裏
Native Place of ZhAaojun
Geburtsstätte von Wang Zhaojun

三峽是萬裏長江的標志性河段，是世界上唯一能乘船與山水對話的大峽穀。看夔門稱"雄"高峽平湖，睹巫山十二峰隨烟波浩淼作"秀"，觀西陵峽弄"險"崆嶺灘，無數的文人墨客莫不爲之傾倒。西起奉節白帝城，東至湖北宜昌南津關，193公裏的三峽在巫山神女的注視下迎來了她新的時代。若説舊三峽給我們的是"雄、秀、險"，那麼，在三峽大壩蓄水后，西陵峽的險峻已不復存在，但"衆水匯涪萬，瞿塘爭一門"，描繪的瞿塘峽的雄偉壯觀没改變，多情的巫山雲雨，仍隨江水神出鬼没。更有江、河、湖、島等新景觀與沿江新山城相映成趣。神農溪，大寧河的小三峽，因水勢上漲而更添嫵媚，加上氣勢磅礴的三峽大壩，新三峽更是令人嘆爲觀止。

The Three Gorges is a hallmark section of the Yangtze River and the only grand canyon in the world where tourists can boat while enjoying mountain and river scenery. Kuimen soars up high and upright, Wushan has 12 fascinating peaks hidden behind mist and Xiling Gorge features torrential shoals and precipices around, everything has inspired generations of men of letters. From Baidi Town in Fengjie in the west to Nanjin Pass in Yichang in the east, the 193km Three Gorges now enters a new era accompanied by the attentive gaze from Wushan Goddess. The Three Gorges may lose some of its original fascination after water storage but "water converges around Fuling and Wanxian from different sources" and it creates another kind of grandeur, precipitousness and stateliness for Qutang Gorge and Wuxia Gorge. In addition, such new waterscape as rivers, streams, lakes and islands as well as new towns along the river creates new fascination for the New Three Gorges. Higher water level after water storage adds charm to Shennong Brook and Small Three Gorges on Daning River. Highlighted by the majestic Three Gorges Dam, the New Three Gorges is all the more breathtaking.

Die Drei Schluchten sind ein symbolisierender Flußstreck des Yangtse-Flußes und das einzige große Tal in der Weld, wo die Touristen auf dem Schiff die Landschaft mit Bergen und Wasser genießen können. Kuimen ragt aus dem Spiegel-See empor und die 12 faszinierenden Bergketten von Wushan bieten deren Gestaltungen mit Nebel und Wolken zur Schau. Die Xiling-Schlucht macht mit reißendem Strom und Steilhang die Barriere. Jedes ist so faszinierend. Westlich von Baidi-Sadt in Fengjie aus und östlich bis zu Nanjing-Enpaß in Yichang der Provinz Hubei kommen die Drei Schluchten mit seiner gesamten Länge von 193 km unter der Beobachtung der Gottin von Wushan in eine neue Epoche. Die Drei Schluchten werden nach dem Wasserspeicherung viele originalen faszinierenden Eigenschaften verloren, aber die beschriebene Szene von Qutang-Schlucht "alle Wasser aus verschiedenen Quellen laufen rings um Fuling und Wanxian zusammen" hat sich nicht geändert, und es wird eine andere Art der Stattlichkeit, Steiligkeit und Stattlichkeit von Qutang-Schlucht und Wuxia-Schlucht schaffen. Außerdem wird das solche Gewässer wie Fluß, Strom und See und auch die Insel die neuen Faszination der Neuen Drei Schluchten schafften, gleich wie die neuen Städten entlang dem Fluß. Die Erh?hung des Wasserstands durch die Wasserspeichrung macht den Shennong-Bach und die Klein Drei Schluchten des Daning-Flußes noch scharmanter. Der imposante Drei-Schluchten-Damm macht die Neuen Drei Schluchten noch meherer atemraubender.

平湖秋色
Autumn on Mirror Lake
Spiegelartiger See im Herbst

瞿塘紅葉
Red Leaves around Qutang Gorge
Rote Blätter um die Qutang-Schlicht

95

瞿塘峽西起重慶奉節白帝城，東至大溪河口，全長雖然只有 8 公裏，却是長江三峽中最爲氣勢磅礴的一段峽穀。

長江從沱沱河開始，納千江百河，一路浩浩蕩蕩，奔涌至重慶奉節，被束在窄窄的夔門之下。"衆水匯涪萬，瞿塘爭一門"，"夔門關不住，衆水盡朝東"。夔門也因此名揚天下。歷代文人墨客，不論是仕途暢達者，還是懷才不遇者，去峽離夔后，對人生、對生活都會有更深刻的體驗和感悟。

Qutang Gorge starts from Baidi Town in Fengjie, Chongqing in the west and ends at Daxi River in the east. Though only 8km in full length, it is the most magnificent gorge of the Three Gorges.

Originating from Tuotuo River, the Yangtze River converges thousands of smaller rivers and surges ahead to Fengjie in Chongqing where it is curbed by Kuimen, a narrow gate in the Three Gorges. "Water converges around Fuling and Wanxian from different sources" and "Kuimen cannot curb the strong torrent of the Yangtze River which still surges eastward to the sea". Kuimen is well-known far and wide. Ancient men of letters, whether they were successful in their official career or their talents remained unrecognized, gained deeper experience and understanding about life after they experienced the magnificence and stateliness of Kuimen.

Die Qutang-Schlucht beginnt im Westen von Baidi-Stadt in Fengjiein, Chongqing und endet sich im Osten an dem Daxi-Fluß. Sie hat zwar eine gesamte Länge nur von 8km lang, aber sie ist die imposanteste der drei Schluchten.

Von Tuotuo-Fluß aus sammelt der Yangtse-Fluß alle Wasser, und maschiert in nicht abewisendem Strom zu Fengjie in Changqing, wo er bei Kuimen, ein enges Tor von Drei Schluchten ist, gezügelt wurde. "Alle Wasser aus verschiedenen Quellen laufen rings um Fuling und Wanxian zusammen" und "Kuimen kann den ostwärts wogenden starken Strom von Yangts-Fluß nicht zügeln." Wodurch ist Kuimen weit und breit bekannt. Die Gelehrten oder Dichter in Altertum, ob sie erfolgreich mit deren Karriere waren oder mit deren Talent nicht anerkannt wurden, gewannen eine tiefe Erfahrung und das ein gutes Verständnis für das Leben, nachdem sie die Herrlichkeit und Stattlichkeit von Kuimen erfahren hatten.

夔門新貌
New Look of Kuimen
Neues Aussehen von Kuimen

仁者樂山，智者樂水。乘船行駛在巫峽之中，山的剛毅，水的柔情會無時不在。李白詩"雲雨巫山枉斷腸"是對巫峽最美的贊歌了。

As an old saying goes, "A true man loves mountains and a wise man loves rivers". Traveling through the Three Gorges by boat, everywhere you can find the rigidity of mountains and the softness of water.

Wie ein alter Srpuch lautet, "ein teuer man liebt den Berg, ein weiser man liebt das Wasser". Bei der Reise mit Schiff durch die Drei Schluchten können Sie überall die Standhaftigkeit des Bergs und die Zärtlichkeit des Wassers finden.

TOURISM

旅游

長江衝出雄偉的瞿塘峽，流過舒緩的大寧河寬穀后，便進入了巫峽。巫峽西起重慶巫山縣大寧河口，東至湖北巴東縣官渡口，全長45公裏，是三峽中較長的一個峽穀，巫峽長得幽深，長得秀麗。若風和日麗，兩岸青山逶迤崢嶸，直插碧空；若細雨霏霏，則雲纏霧繞，如夢如幻。聞名遐邇的巫山十二峰在大江南北爭奇奪艷。特別是楚楚動人的巫山神女與楚王演繹的如歌如泣的愛情故事，更是傾倒了無數的游客。巫山雲雨也因此成爲歌咏三峽詩歌中最爲動人的詞語。

Cutting through the grand Qutang Gorge and surging through Daning River, the Yangtze River enters the Wuxia Gorge. Starting from the estuary of Daning River in Wushan County, Chongqing in the west and ending at Guandukou in Badong County, Hubei in the east, the 45km-long Wuxia Gorge is a long, deep and fascinating gorge with soaring mountains on both sides. In breeze and sunshine, it offers a landscape of meandering mountains as far as the eye can see. In drizzle, it looks misty and illusionary. In particular, the fascinating Goddess Peak and the touching love story of Chu King have won great admiration from countless tourists. Thus, mist and rain around Wuxia Gorge have found most touching expressions in many poems in praise of the Three Gorges.

Der Yangtse-Fluß strömt aus der großartigen Qutang-Schlucht, fließt durch den Daning-Fluß und läuft in die Wuxia-Schlucht ein. Die Wuxia-Schlucht beginnt östlich an Daning-Fluß im Kreis Wushan in Chongqing und beendet sich westlich bei Guandukou in Kreis Badong der Provinz Hubei. Mit einer gesamten Länge von 45km und durch die emporragenden Bergen an beiden Ufern zeigt sich die Wuxia-Schjlucht lang, tief und faszinierend. Beim freundlichen Wetter bietet es eine Landschaft von schlängelnden Bergen in der Ferne, was man mit Augen ansehen kann, und im Sprühregen sieht es nelbig und illusionär aus. Besonderes hat der Gottin-Berggipfel mit der rührenden Liebesgeschichte von Gottin mit dem König des Chu-Reichs die Touristen bezaubert. Der Nebel und Sprühregen um den den Wuschan-Berg sind der rührende Ausdruck in vielen Gedichten zum Loben der Drei Schluchten geworden.

巫峽秋韵

Autumn in Wuxia Gorge

Herbstin Wuxia-Schlucht

巫峡神女峰 ■ Goddess Peak by Wuxia Gorge ■ Gottin-Bergkamm

大宁河宽谷 ■ Wide Valleys by　Daning River ■ Breites Tal von Daning-Fluß

從大面山上看長江
Glimpse at the Yangtze River from Damian Mountain
Blick auf Yangtse-Fluß aus dem Damian-Berg

TOURISM

旅 游

大寧河發源于大巴山南麓，全長250公裏，由北向南，在巫峽西口注入長江，是長江在三峽最大最美的一條支流。小三峽位于大寧河的下游，從巫山至大昌，全長60公裏。由龍門峽、巴霧峽、滴翠峽組成，這裏"有山皆翠，有水皆緑，有峰皆奇，有瀑皆飛"。不是三峽，勝似三峽。

250km in full length, Daning River is the largest and most attractive branch of the Three Gorges. It originates from the southern foot of Daba Mountain and surges from north to south until it joins the Yangtze River at the western mouth of the Three Gorges. 60km in full length, the Small Three Gorges is located at the lower reach of the Daning River and flows from Wushan to Dachang, including Longmen Gorge, Bawu Gorge and Dichui Gorge. These small gorges feature "verdant water and mountains, fantastic peaks and flying waterfalls", none next to the Three Gorges.

Der Daning-Fluß entspringt am südlichen Fuß des Daba-Berges und hat eine Gesamtlänge von 250 km. Dieser attraktivste Zweig des Yangtse-Flußes in Drei Schluchte fließt von Norden nach Süden und mündet in den Yangtse-Fluß an dem Mund der Wuxia-Schlucht. Die Klein Drei Schluchten befinden sich am Unterlauf des Daning-Flußes und haben eine Gesamtlänge von 60km von Wushan-Berg bis zu Dachang. Sie teilen sich in Longmen-Schlucht, Bawu-Schlucht und Dicui-Schlucht. Das Kennzeichen der Klein Drei Schluchten ist: "grünes FWasser und grüne Berge, fantastische Berkgipfel und fliegende Wasserf?lle". Die ist nicht die N?chste von Drei Schluchten.

纖夫 ■ **Boat Tracker** ■ Treiler

青山送碧水 ■ **Green Mountains and Blue Water** ■ Grüne Berge und blaues Wasser

TOURISM

旅 游

神農溪發源于神農架南坡，沿途接納17條溪澗，蜿蜒到西壤口注入長江，全長60公裏。神農溪由龍昌峽、鸚鵡峽、綿竹峽組成，三個峽景色奇特，風景秀麗，不僅有大三峽的雄、奇、險的特點，更有其自身的原始野趣，不論是乘小木船逶迤而上，還是順水而下都別有一番情調。

60km in full length, Shennong River originates from the southern slope of Shennongjia, converges 17 streams and meanders to Xixiang where it joins the Yangtze River. It comprises Longchang Gorge, Parrot Gorge and Mianzhu Gorge. These three small gorges feature unique attractive landscape. They not only have features of the Three Gorges but also have their unique primitive naturalness. Tourists can have a unique experience whether they are boating upstream or downstream.

Der Sehnnong-Fluß entspringt aus dem südlichen Abhang des Shennongjia. Er sammelt 17 Bäche und schlängelt mit einer Gesamtlänge von 60km zu Xixang, wo er in den Yangtse-Fluß mündet. Der Shennong-Fluß besteht aus Longchang-Schlucht, Papagei-Schlucht und Mianzhu- Schlucht. Das Kennzeichen dieser drei kleinen Schluchten ist die einzigartige und attraktive Landschaft. Sie besitzen nicht nur die Eigensfchten wie die Groß Drei Schluchten, sondern haben sie ihre eigene einzigartige urspüngliche Natur. Die Touristen k?nnen eine einzigartige Erfahrung hanen, ob sie mit dem Boot gegen den Strom oder mit dem Strom vorwärts fahren.

碧波蕩漾 ■ Ripples on River ■ Wellen vom Fluß

巴山舞 ■ Bashan Dance ■ Bashan-Tanz

千回百轉
Zigzag Water Course
Wasserlauf im Zickzack

TOURISM

旅 游

　　西陵峽西起秭歸縣的香溪河口，東至宜昌市的南津關，全長 76 公裏。昔日的西陵峽口以灘多水急著稱。如今，橫亘在長江上的葛洲壩和雄偉的三峽大壩成爲西陵峽內的璀璨明珠。高峽出平湖的坦蕩和秀美更是讓游客心曠神怡。兩壩之間的峽穀基本上保持了原始地貌，水緩穀寬、山青壁陡，是長江三峽東端最令人心馳神往的地方。

　　76km in full length, Xiling Gorge originates from the mouth of Xiangxi River in Zigui County in the west and ends at Nanjin Pass in Yichang in the east. Xiling Gorge used to feature multiple shoals and swift torrents. Now, Gezhou Dam and Three Gorges Dam on the Yangtze River have become two bright pearls for the Xiling Gorge. It is surely fascinating for tourists to appreciate a mirror-like lake after coming out of precipitous gorges. The most fantastic feature of the eastern section of the Three Gorges is leisurely flowing water, wide gorges, steep cliffs and verdant mountains.

　　Die Xiling-Schlucht beginnt im Westen am Xiangxi-Fluß im Kreis Zigui und endet im Osten bem Najing-Paß in Stadt Yichang. Sie hat eine gesamte Länge von 76km. Die vergangene Xiling-Schlucht war durch die Untiefe und den reißenden Strom bekannt. Und heute sind der Gezhouba-Damm, der quer über dem Yangts-Fluß liegt, und der stattliche Drei Schluchten-Damm die glänzenden Perle in der Xiling-Schlucht geworden. Es ist wirklich faszinierend für Touristen, den Spiegel-See zu bewundern, nachdem sie aus der steilen Schlucht kommem sind. Die Schlucht zwischen beiden Dämmen ist wesentlich in Original gehalten. Die Kennzeichen von dem Ostende der Drei Schluchten des Yangts-Flußes sind das gemächlich fließende Wasser, die breite Schluchten, steile Klippen und grüne Bergen.

燈影峽　■ Light Shadow Gorge　■ Lichtschatten-Schlucht

石牌　■ Stele　■ Denkmal

西陵峡雪景
Snowscape of Xiling Gorge
Landschaft von Xiling-Schlucht mit Schnee

109

193公裏三峽的東端就是南津關，葛洲壩水利樞紐就興建在此。"山隨平野盡，江入大荒流"。長江涌出三峽后便一瀉千裏進入了廣袤的中下游平原。

Nanjin Pass is located at the east outlet of the 193km-long Three Gorges and Gezhou Dam Water Control Project is located at this outlet. Cutting through the Three Gorges, the Yangtze River surges ahead towards the plains at its middle and lower reaches.

Der Nanjing-Paß befindet sich am Ostende der Drei Schluchten, die 193km lang ist. Und der Wasserbauprojekt-Gezhouba-Damm wurde bei diesem Abfluß gebaut. Der Yangts-Fluß strömt durch die Drei Schluchten und erreicht die breite Ebene am seinem Mittel- und Unterlauf.

葛洲壩水利樞紐工程
Gezhou Dam Water Control Project
Wasserbauprojekt- Gejhoudbadamm

三峡東端南津關
Nanjin Pass East of Three Gorges
Nanjing-Paß am Ostende der Drei Schluchten

黄金旅游綫路　重慶－宜昌
Golden Tour Route　Chongqing-Yichang

重慶
Chongqing

嘉陵江
Jialing River

白鶴梁
White Crane Beam

石寶寨
Shibao Fortress

白帝城
Baidi Town

奉節
Fengjie

張飛廟
Zhang Fei Temple

神農溪
Shennong River

小三峽
Small Three Gorges

巫峽
Wuxia Gorge

宜昌
Yichang

瞿塘峽
Qutang Gorge

西陵峽
Xiling Gorge

葛洲壩水利樞紐
Gezhou Dam Water Control Project

三峽水利樞紐
Three Gorges Water Control Project

西陵峽
Xiling Gorge

113

中國風景名勝略圖

Overview of Scenic Spots in China
Landschaften und Sehenswürdigkeiten Chinas in Bildern

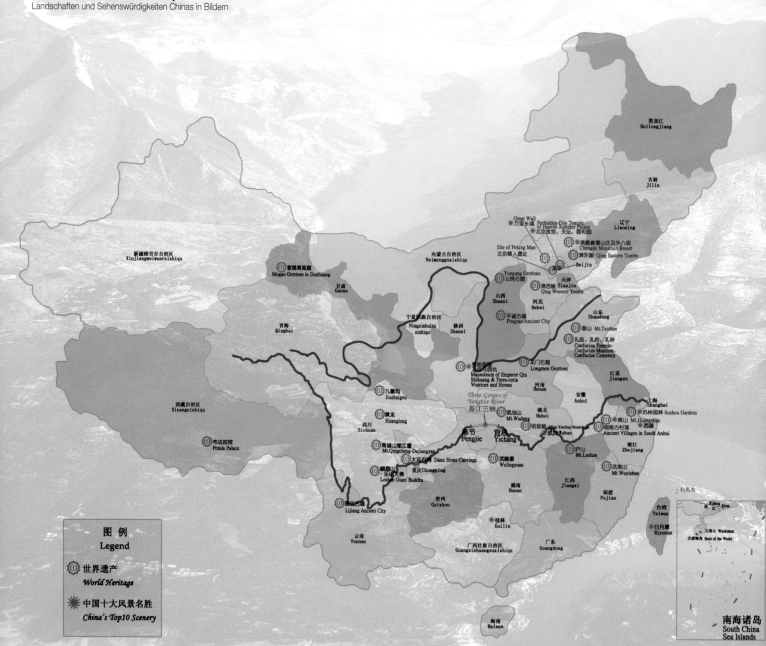

黑龙江
Heilongjiang

吉林
Jilin

辽宁
Lianing

新疆维吾尔自治区
Xinjiangweiwuersizhiqu

内蒙古自治区
Neimengguzizhiqu

Great Wall
万里长城

Forbidden City Temple
of Heaven Summer Palace
北京故宫、天坛、颐和园

承德避暑山庄及外八庙
Chengde Mountain Resort

Site of Peking Man
北京猿人遗址

清东陵 Qing Eastern Tombs

张家口

Beijin

敦煌莫高窟
Mogao Grottoes in Dunhuang

甘肃
Gansu

Yungang Grottoes
云冈石窟

天津
Tianjin

清西陵
Qing Western Tombs

青海
Qinghai

宁夏回族自治区
Ningxiahuizu
zizhiqu

陕西
Shanxi

山西
Shanxi

河北
Hebei

平遥古城
Pingyao Ancient City

山东
Shandong

泰山 Mt.Taishan

孔庙、孔府、孔林
Confucius Temple·
Confucius Mansion·
Confucius Cemetery

龙门石窟
Longmen Grottoes

秦始皇陵
Mausoleum of Emperor Qin
Shihuang & Terra-cotta
Warriors and Horses

河南
Henan

江苏
Jiangsu

九寨沟
Jiuzhaigou

黄龙
Huanglong

Three Gorges of
Yangtze River
長江三峽

武当山
Mt.Wudang

湖北
Hubei

安徽
Anhui

上海
Shanghai

苏州园林 Suzhou Gardens

西湖

黄山 Mt.Huangshan

西藏自治区
Xizangzizhiqu

四川
Sichuan

明显陵 Ming Xianling Mausoleum

武汉Wuhan

皖南古村落
Ancient Villages in South Anhui

布达拉宫
Potala Palace

青城山都江堰 Mt.Qingcheng-Dujiangyan

大足石刻 Dazu Stone Carvings

奉节
Fengjie

宜昌
Yichang

武陵源
Wulingyuan

浙江
Zhejiang

庐山 Mt.Lushan

江西
Jiangxi

武夷山
Mt.Wuyishan

峨眉山
乐山大佛
Leshan Giant Buddha

重庆Chongqing

湖南
Hunan

福建
Fujian

丽江古城
Lijiang Ancient City

贵州
Guizhou

台湾
Taiwan

云南
Yunnan

桂林
Guilin

广西壮族自治区
Guangxizhuangzuzizhiqu

广东
Guangdong

日月潭
Riyuetan

钓鱼岛

Xijiang River
西江

五指山 Wuzhishan
天涯海角 Ends of the World

海南
Hainan

图例
Legend

世界遗产
World Heritage

中国十大风景名胜
China's Top10 Scenery

南海诸岛
South China
Sea Islands

后　記

　　走完193公裏,在今天實在是一件極容易的事情。但193公裏的三峽,名山大川所引起的震撼,在心靈深處却會久久的回蕩。

　　長江是一條生命的河!

　　長江水不舍晝夜地追尋大海,"雖九死猶未悔矣,吾將上下而求索"。這種百折不回的精神汨汨流淌,成爲我生命中鮮活的血液。

感謝朋友!
感謝神女!
感謝新三峽!

二〇〇四年陽春三月于深圳
周毅鴻

115

圖書在版編目(CIP)數據

新三峽 / 周毅鴻主編. －武漢：湖北美術出版社,2004.3
ISBN 7-5394-1510-x/J.1270

Ⅰ.新... Ⅱ.周... Ⅲ.①風光攝影－中國－現代
－攝影集②三峽—攝影集 Ⅳ.J424

中國版本圖書館 CIP 數據核字(2004)第 008510 號

新 三 峽

策劃主編：周毅鴻
副 主 編：姚一龍
藝術總監：黄正平
裝幀設計：田立華
責任編輯：錢敏華　何金祥
攝　　影：黄正平　王連生　肖佳法　楊鐵軍　傅　群
　　　　　陳　偉　王衛東　宋華久　黄昌貴
書名題字：周德聰
篆　　刻：張學懷
撰　　文：周毅鴻
地圖繪制：田立華
繪　　畫：陳季藩
英文翻譯：明永中
德文翻譯：深圳市譯博士翻譯公司
出版發行：湖北美術出版社
制版印刷：深圳市精典印務有限公司
開　　本：889 毫米 X1193 毫米 1/20
印　　張：7
版　　次：2004 年 9 月校對版第一次印刷
印　　數：1－3000 冊
定　　價：128.00 元

發行電話：13972000950　E-mail: zyh_ong@126.com